Akute myeloische Leukämie

Yaneisy Domínguez González
Yanelis Pérez Triana
Migdalia Reyes Ledon

Akute myeloische Leukämie

Patienten in der Phase der Remissionsinduktion

ScienciaScripts

Imprint

Any brand names and product names mentioned in this book are subject to trademark, brand or patent protection and are trademarks or registered trademarks of their respective holders. The use of brand names, product names, common names, trade names, product descriptions etc. even without a particular marking in this work is in no way to be construed to mean that such names may be regarded as unrestricted in respect of trademark and brand protection legislation and could thus be used by anyone.

Cover image: www.ingimage.com

This book is a translation from the original published under ISBN 978-620-2-14333-2.

Publisher:
Sciencia Scripts
is a trademark of
Dodo Books Indian Ocean Ltd. and OmniScriptum S.R.L publishing group

120 High Road, East Finchley, London, N2 9ED, United Kingdom
Str. Armeneasca 28/1, office 1, Chisinau MD-2012, Republic of Moldova, Europe

ISBN: 978-620-7-30284-0

ZUSAMMENFASSUNG:

Die akute myeloische Leukämie (AML) macht 15 % bis 20 % der Leukämien bei pädiatrischen Patienten aus. Zur Beschreibung von Patienten, bei denen eine akute myeloische Leukämie in der Phase der Remissionsinduktion diagnostiziert wurde, wurde eine deskriptive Querschnittsstudie bei Patienten durchgeführt, bei denen eine akute myeloische Leukämie am Universitäts-Kinderkrankenhaus "José Luis Miranda" in Santa Clara diagnostiziert wurde. Die Studienpopulation bestand aus 24 Patienten, die auch die Stichprobe bildeten. Die pädiatrischen Patienten mit akuter myeloischer Leukämie, die am Universitäts-Pädiatrie-Krankenhaus "José Luis Miranda" behandelt wurden, wiesen eine ähnliche Verteilung nach Geschlecht auf und waren häufiger zwischen 1 und 14 Jahren alt. Sie stammten hauptsächlich aus Sancti Spiritus und Villa Clara und hatten überwiegend eine weiße Hautfarbe und Normalgewicht. Fast alle hatten eine Anämie, Leukozytose und Thrombozytopenie. Die wichtigsten Komplikationen waren Sepsis und febrile Neutropenie, die nicht mit dem Geschlecht oder Alter der Patienten zusammenhingen. Hyperleukozytose trat bei fettleibigen Patienten auf, und Kardiotoxizität überwiegt bei übergewichtigen und fettleibigen Patienten. Etwas mehr als die Hälfte der Patienten starb am Ende der Studie, und von diesen starb jeder zweite an den Folgen der Induktion.

INHALTSANGABE:

EINLEITUNG:

Der erste gut dokumentierte Fall von akuter Leukämie (AL) wird Friedreich zugeschrieben, aber es war Epstein, der 1889 den Begriff akute Leukämie verwendete, was zur allgemeinen Anerkennung der klinischen Unterscheidung zwischen akuter myeloischer Leukämie (AML) und chronischer myelogener Leukämie führte. Im Jahr 1878 schlug Neumann vor, dass das Knochenmark der Ort der Blutzellproduktion ist, und schlug vor, dass die Leukämie von diesem Organ ausgeht, und verwendete den Begriff myelogene Leukämie. Die Verfügbarkeit polychromatischer Färbungen, wie sie durch Ehrlichs Arbeit eingeführt wurden, die Beschreibung von Myeloblasten und Myelozyten durch Naegeli und die erste Anerkennung des gemeinsamen Ursprungs von roten Blutkörperchen und Leukozyten durch Hirshfiel legten den Grundstein für das heutige Verständnis der Krankheit.[1]

Krebs ist die zweithäufigste Todesursache in der Welt, die Zahl der Todesfälle liegt bei fast fünf Millionen. Etwa 14 Millionen Menschen sind von diesen wuchernden Prozessen betroffen, und es gibt auch wirtschaftliche und gesundheitliche Folgen.[2]

Krebs ist heute nach Unfällen die zweithäufigste Todesursache auch im Kindesalter. Die jährliche Inzidenz von Krebs im Kindesalter wird auf 100-180 Fälle pro Million Kinder geschätzt. Leukämien machen 33 % aller Krebserkrankungen bei Kindern aus und stehen in allen geografischen Gebieten an erster Stelle, gefolgt von Lymphomen und Tumoren des zentralen Nervensystems.[2-6]

Die jährliche Inzidenz aller Leukämien liegt bei 8-10 Fällen pro 100.000 Einwohner. Unter diesen hämatologischen Erkrankungen stellen die akuten Leukämien (AL) ein großes Gesundheitsproblem dar.[5,6]

3

LA sind eine heterogene Gruppe von Erkrankungen, bei denen es zu einer gestörten Vermehrung eines Klons hämatopoetischer Zellen kommt. Das Fehlen von Kontrollmechanismen für die Zelldifferenzierung ist in erster Linie auf Veränderungen in regulatorischen Genen zurückzuführen, was zu einer Überproduktion von Zellen führt, die nicht ausreifen und normal funktionieren können.[7-10]

Innerhalb der ALL machen die lymphoblastischen Leukämien (ALL) 75 % der Fälle aus. Die Prognose von Kindern mit ALL hat sich in den letzten vier Jahrzehnten erheblich verbessert. Derzeit ist die Wahrscheinlichkeit einer anhaltenden Remission oder Heilung von 5 % im Jahr 1950 auf 5-Jahres-Überlebensraten von 86 % gestiegen,[8,9] . Myeloische Leukämien im Kindesalter stellen jedoch nach wie vor ein Spektrum hämatopoetischer Malignome mit einer schwierigen Prognose dar, insbesondere wenn man bedenkt, dass mehr als 90 % der myeloischen Leukämien akut verlaufen.[1,4]

Die akute myeloblastische Leukämie (AML) ist eine neoplastische Erkrankung, die durch eine unkontrollierte klonale Proliferation abnormaler Vorläuferzellen der myeloischen, erythroiden, monozytären, megakaryoblastischen und seltener mastozytären, basophilen und dendritischen Linie entsteht. Sie infiltriert das Knochenmark, verursacht Zytopenien unterschiedlichen Ausmaßes, betrifft verschiedene Organe und/oder Systeme und führt zum Tod durch Hämorrhagie und/oder Infektion.[11,12]

Akute myeloblastische Leukämien (AML) machen 15-20 % der Leukämien bei pädiatrischen Patienten aus. Sie bestehen aus einer klonalen Proliferation unreifer myeloischer Vorläuferzellen, die zu einer Invasion des Knochenmarks und in einigen Fällen der Leber, der Milz, der Lymphknoten sowie anderer Organe und Gewebe führen.[11-14]

4

Fortschritte in der Molekularforschung, intensivere Behandlungen und eine verbesserte unterstützende Pflege haben die Überlebensrate bei dieser Krankheit erhöht.[7-11]

Es werden 1,5 bis 3 neue Fälle von AML pro 100 000 Einwohner gemeldet, wobei die Häufigkeit mit dem Alter zunimmt. Die Sterblichkeitsrate steigt vom Säuglingsalter an allmählich auf 20 pro 100 000 Menschen im neunten Lebensjahrzehnt. Mit Ausnahme des ersten Lebensmonats, in dem sie häufiger auftritt als die ALL, beträgt das Verhältnis von AML zu ALL 1:4. Die Inzidenz bleibt bis zum Alter von 10 Jahren stabil, steigt in der Adoleszenz mäßig an und ist im Erwachsenenalter die häufigste Form. Es gibt keine Unterschiede in der Inzidenz nach Geschlecht oder Rasse.[15-17] Die Inzidenz unterscheidet sich in keinem Alter zwischen Menschen afrikanischer oder europäischer Herkunft.[14] Der AML-Subtyp M3 ist in lateinamerikanischen Ländern häufiger anzutreffen und macht dort 24 % der AML aus, im Vergleich zu 15 % in angelsächsischen Ländern.[15-17]

Die Ursachen der bösartigen Umwandlung sind nicht vollständig geklärt, obwohl umweltbedingte oder genetische Faktoren, die eine bösartige Umwandlung begünstigen, festgestellt wurden. Zu den Umweltfaktoren, die als Auslöser in Frage kommen, gehören: hochdosierte Strahlung, langfristige Exposition gegenüber Benzol oder Benzolderivaten sowie die Behandlung mit Alkylierungsmitteln und anderen zytotoxischen Substanzen. Zu den genetischen Faktoren gehören chronische myeloproliferative Störungen und myelodysplastische Syndrome, die zu AML fortschreiten können.[18] Patienten mit Immunschwächesyndromen oder Krankheiten mit Chromosomenanomalien haben ein höheres Risiko, eine AML zu entwickeln.[13]

Bei eineiigen Zwillingen gibt es eine hohe Konkordanzrate für AML. Einige Viren können ebenfalls Leukämie verursachen, darunter Retroviren wie HTLV-1 und HTLV-2.[11,12]

AMLs können auf verschiedene Weise klassifiziert werden, u. a. anhand von Morphologie, Oberflächenmarkern, Zytogenetik und Onkogen-Expression. Die Unterscheidung zwischen AML und ALL ist sehr wichtig, da sie sich in prognostischer und therapeutischer Hinsicht erheblich unterscheiden.[17,18]

Das erste umfassendere morphologische und zytochemische Klassifizierungssystem für AMLs wurde von der französisch-US-britischen (FAB) Kooperationsgruppe entwickelt. Dieses System klassifiziert AMLs auf der Grundlage von Morphologie und immunologischem Nachweis von Abstammungsmarkern.[19,20] Zwischen 50 % und 60 % der Kinder mit AML werden in die Subtypen M1, M2, M3, M6 oder M7 eingeteilt; etwa 40 % haben die Subtypen M4 oder M5. Das Ansprechen auf eine zytotoxische Chemotherapie ist bei Kindern mit den verschiedenen Subtypen der AML relativ ähnlich. Der FAB-Subtyp M3 bildet eine Ausnahme, da etwa 70 bis 80 % der Kinder mit AML eine Remission und Heilung mit Zelldifferenzierungsinduktoren plus Chemotherapie erreichen.[21,22]

Im Jahr 2002 schlug die Weltgesundheitsorganisation (WHO) ein neues Klassifizierungssystem vor, das diagnostische zytogenetische Informationen, die Rolle der Myelodysplasie und frühere zytostatische Behandlungen berücksichtigt und zuverlässiger mit den Ergebnissen korreliert.[23]

Das Erscheinungsbild der AML zeigt sich in Symptomen und Anzeichen, die vom Grad der Infiltration der Leukämie in das Knochenmark oder in das Extrakarpell abhängen. Neben den Symptomen und Anzeichen beruht die Diagnose der akuten myeloischen Leukämie auf den Ergebnissen der Knochenmarksbiopsie und des Medulogramms, die in der Regel hyperzellulär sind und einen Anteil von 20-100 % Blastenzellen aufweisen.[24]

Es wurde eine Reihe von Faktoren beschrieben, die die Prognose und den Verlauf der Krankheit beeinflussen. Zu den wichtigsten gehören zytogenetische und molekulare Anomalien wie t(8,21) und t(15,17)-Translokationen, inv (16), 11q23-Gen-Rearrangement, FLT3-Rezeptor-Tyrosinkinase-aktivierende Mutationen, interne Tandemduplikation, die zusammen mit anderen klassischen Variablen wie Alter, Geschlecht, anfängliche Leukozytenzahl, anfängliche Infiltration des Zentralnervensystems (ZNS), das Vorhandensein genetischer Störungen wie Down-Syndrom, eine Vorgeschichte des myelodysplastischen Syndroms oder eine Vorgeschichte des myelodysplastischen Syndroms (MDS), Das Geschlecht, die anfängliche Leukozytenzahl, die anfängliche Infiltration des zentralen Nervensystems (ZNS), das Vorliegen genetischer Störungen wie das Down-Syndrom, die Vorgeschichte eines myelodysplastischen Syndroms oder einer aplastischen Anämie und das Ansprechen auf die Behandlung leisten einen wichtigen Beitrag zur Bestimmung verschiedener Risikogruppen für die therapeutische Behandlung und die Prognose der Krankheit.[22-24]

Ab 1962 wurden erstmals Behandlungsschemata eingesetzt, bei denen mehrere Medikamente mit unterschiedlichen Wirkmechanismen kombiniert wurden, und zwar zu Heilungszwecken. In den 1980er Jahren begann die westdeutsche BFM-Gruppe (Berlin-Frankfurt-Münster) mit wesentlich aggressiveren Behandlungsschemata von kürzerer Dauer, und es wurden hochdosierte Medikamente eingeführt; seither konzentrieren sich die Behandlungsprotokolle eher auf die Intensivierung der

Behandlung mit bekannten Medikamenten als auf die Einführung neuer Medikamente.[25]

In den letzten zehn Jahren haben sich die Ergebnisse der AML-Behandlung zwar verbessert, aber sie sind nach wie vor bescheiden, und in der Praxis erliegen die meisten Patienten einer Krankheit, die nach einem anfänglichen Ansprechen wieder auftritt und fortschreitet oder von Anfang an refraktär gegenüber einer Chemotherapie ist. Die AML bleibt daher eine große therapeutische Herausforderung auf dem Gebiet der hämatologischen Malignome.[19-21]

Die lateinamerikanische Gruppe für die Behandlung hämatologischer Malignome (GLATHEM), der Kuba seit 1973 angehört, hat vor allem in den letzten beiden Jahrzehnten ähnliche Protokolle wie die BFM-Gruppe mit guten Ergebnissen entwickelt. Das Universitäts-Kinderkrankenhaus "José Luís Miranda" in Santa Clara hat zusammen mit dem Institut für Hämatologie und Immunologie bei seiner Gründung im Jahr 1973 mit GLATHEM-Studien begonnen.[26-29]

Am Universitäts-Kinderkrankenhaus José Luís Miranda in der Stadt Santa Clara gibt es nur wenige Untersuchungen zur AML. Der Mangel an Daten über die Besonderheiten der AML in diesem Zusammenhang könnte sich nachteilig auf die Patientenversorgung auswirken und die ärztliche Tätigkeit behindern, was das folgende wissenschaftliche Problem rechtfertigt:

Was sind die Merkmale von Patienten mit akuter myeloischer Leukämie in der Phase der Remissionsinduktion, die im Kinderkrankenhaus José Luís Miranda" behandelt werden?

ZIELE:

Allgemeines:

Beschreibung von Patienten, bei denen eine akute myeloische Leukämie in der Phase der Remissionsinduktion diagnostiziert wurde.

Spezifisch:

1. Charakterisieren Sie die Gruppe von Patienten je nach den Variablen epidemiologische und Laborvariablen.

2. Nennen Sie die häufigsten Komplikationen, die während der Einweisungsphase auftreten.

3. Ermittlung des Zusammenhangs zwischen Komplikationen und den untersuchten Variablen.

4. Ermittlung der Todesursachen bei der Einweisung und des aktuellen Status der Patienten bei Abschluss der Untersuchung.

THEORETISCHER RAHMEN:

Die Behandlung krebskranker Kinder ist eine der komplexesten Herausforderungen in der pädiatrischen Praxis. Sie beginnt mit dem absoluten Erfordernis einer korrekten Diagnose (einschließlich Subtypisierung), gefolgt von einer genauen und umfassenden Stadieneinteilung zur Bestimmung der Prognose und gipfelt in einer angemessenen multidisziplinären und oft multimodalen Behandlung. Sie erfordert eine sorgfältige Bewertung des Potenzials für ein Tumorrezidiv und mögliche Spätfolgen der Krankheit oder der für die Krankheit verwendeten Behandlungen. Während der gesamten Behandlung sollte das krebskranke Kind vom Fachwissen spezialisierter Gesundheitsfachkräfte profitieren, die in der Arbeit mit schwerkranken Kindern geschult sind.[24]

Leukämien können als eine Gruppe bösartiger Erkrankungen definiert werden, bei denen genetische Störungen einer bestimmten blutbildenden Zelle zu einer unregulierten klonalen Vermehrung von Zellen führen. Die Nachkommen dieser Zellen weisen aufgrund ihrer höheren Proliferationsrate und geringeren Inzidenz spontaner Apoptose einen Wachstumsvorteil gegenüber normalen Zellelementen auf. Die Folge ist eine Störung der normalen Knochenmarkfunktion und schließlich ein Knochenmarkversagen. Klinische Merkmale, Laborbefunde und das Ansprechen auf die Behandlung sind je nach Leukämieart unterschiedlich.[24,25]

Die akute myeloische Leukämie (AML), auch als akute nicht-lymphozytäre Leukämie bezeichnet, ist ein myeloisches Zellneoplasma, das durch klonale Transformation und Proliferation unreifer Vorläuferzellen verursacht wird, die die normale Blutbildung verdrängen und deren Wachstum hemmen. 15-20 % der Leukämien bei pädiatrischen Patienten sind darauf zurückzuführen.[21-23]

Bei 65 % der akuten Leukämien (AL) sind erworbene chromosomale Inversionen oder Translokationen festgestellt worden. Diese strukturellen Umlagerungen beeinträchtigen die Genexpression und stören das normale Funktionieren von Zellproliferation, Differenzierung und Überleben.[18,30]

Die Pathophysiologie der AML beruht auf der Umwandlung einer myeloischen blutbildenden Zelle in eine bösartige Zelle und der anschließenden klonalen Expansion der Zellen mit Unterdrückung der normalen Hämatopoese. Die Erforschung klonaler Chromosomenanomalien hat dazu beigetragen, die genetischen Grundlagen der Leukämie zu verstehen.[31]

Nach der FAB werden AMLs wie folgt klassifiziert: [19, 20,26,29]

M0: Akute myeloblastische Leukämie undifferenziert.

M0-AML exprimiert keine Myeloperoxidase (MPO) in einem lichtmikroskopischen Ausmaß, kann aber in der Elektronenmikroskopie charakteristische Granula aufweisen. M0 AML lässt sich durch die Expression von Clusterdeterminanten (CD) wie CD13, CD33 und CD117 (c-KIT) bei fehlender lymphoider Differenzierung definieren. Die Klassifizierung als M0 setzt voraus, dass die leukämischen Blasten keine morphologischen oder histochemischen Merkmale einer AML oder akuten lymphatischen Leukämie (ALL) aufweisen.

M1: Akute myeloblastische Leukämie mit minimaler Differenzierung.

MPO-Expression durch Immunhistochemie oder Durchflusszytometrie nachgewiesen. Blasten machen mehr als 90 % der nicht-erythroiden Zellen aus, sind mittelgroß bis groß, haben ein variables Verhältnis von Zellkern zu Zytoplasma und einen ovalen Zellkern mit einem oder mehreren Nukleoli. Bei der Reifung haben sie <10% granulozytäre Komponente. Das Vorhandensein von Auer-Stäbchen im Zytoplasma ist variabel.

M2: Akute myeloblastische Leukämie mit Differenzierung.

Bei diesem Subtyp der AML gibt es Hinweise auf eine myeloische Reifung mit einer reifen granulozytären Komponente (Promyelozyten bis polymorphkernig) von mehr als 10 % der nicht-erythroiden Zellen und einer monozytären Komponente von weniger als 20 %. Blasten machen 30-89 % der nicht-erythroiden Zellen aus. Das Vorhandensein von Auer-Stäbchen ist häufiger als bei M1, und die Myeloblasten enthalten azurophile Granula und markante Nukleoli.

M3: Akute promyelozytäre Leukämie (APL) hypergranulärer Typ.

Die Zellen in M3 zeichnen sich durch eine Hypergranulation der Promyelozyten mit reichlich Auer-Stäbchen aus, die manchmal Bündel oder Palisaden bilden. Wenn die Granulationen die Umrisse des Zellkerns nicht verdecken, ist der Zellkern nierenförmig oder gefaltet. MPO ist stark positiv.

M3v:LPA, mikrogranuläre Variante.

Das Zytoplasma weist eine sehr feine Granulation auf, die mit dem Lichtmikroskop manchmal schwer zu erkennen ist.

Die M3-AML weist auf zytogenetischer Ebene eine t-Translokation (15; 17) auf, die sowohl bei der hypergranulären als auch bei der mikrogranulären Variante beobachtet wird. Bei diesem AML-Subtyp weist die Zellmembran eine starke prokoagulative Aktivität und die Granula eine proteolytische Aktivität auf, was zu einer disseminierten intravaskulären Gerinnung und einer konsumtiven Koagulopathie führt. Die Patienten neigen dazu, vor und n a c h Beginn der Behandlung intrakranielle und pulmonale Blutungen zu entwickeln.

M4: Akute myelomonozytäre Leukämie (AMML).

Bei diesem Subtyp der AML machen Blasten mehr als 30 % der nicht-erythroiden Zellen aus und weisen Merkmale der akuten myeloblastischen Leukämie (M2) und der akuten monozytären Leukämie (M5) auf. Zwischen 20% und 80% der nicht-erythroiden Zellen müssen monozytäre Merkmale aufweisen oder es müssen mehr als 5×10^9 /L Monozyten im peripheren Blut vorhanden sein. Die Lysozymwerte im Serum oder Urin sollten auf mehr als das Dreifache des Normalwerts angestiegen sein. Patienten mit einem Knochenmark, das einer M2 AML entspricht, und peripherer Monozytose oder erhöhten Lysozymwerten sollten als M4 eingestuft werden.

M4E0: AMML mit EosinophilieBei dieser Variante werden bis zu 30 % der Eosinophilen mit morphologischen und zytochemischen Veränderungen nachgewiesen.

M5: Akute monozytäre Leukämie (AML0A).

Der Prozentsatz der nicht-erythroiden Zellen mit monozytären Merkmalen liegt bei über 80 %.

M5a oder monoblastische Leukämie: 80 % der nicht-erythroiden Knochenmarkzellen sind Monoblasten.

M5b. LM0A mit Differenzierung. Monoblasten machen weniger als 80 % der monozytären Komponente aus.

M6: Akute erythroide Leukämie oder Erythroleukämie.

Mehr als 50 % der kernhaltigen Zellen des Marks sind Erythroblasten und mindestens 30 % der nicht-erythroiden Zellen sind Blasten. Wenn Erythroblasten beobachtet werden, aber weniger als 30 % der nicht-erythroiden Zellen Blasten sind, sollte ein myelodysplastisches Syndrom in Betracht gezogen werden.

M7: Akute megakaryozytäre Leukämie.

Maligne Megakaryoblasten sind heterogen und reichen von kleinen runden Zellen, die den Subtypen M1 oder L2 ähneln, bis zu großen atypischen Megakaryozyten. Megakaryoblasten sind Myeloperoxidase- und Black-Sudan-negativ und können PAS-positiv sein. Eine Immunphänotypisierung mit monoklonalen Antikörpern, die Thrombozytenantigene erkennen, oder eine ultrastrukturelle Untersuchung der Thrombozytenperoxidase-Aktivität müssen zur Verfügung stehen, um die Diagnose M7 zu stellen. Dieser Subtyp ist mit Myelofibrose oder erhöhtem Markretikulin assoziiert, so dass die Entnahme von Markaspiraten oft erfolglos ist. Er tritt häufig bei Patienten mit Down-Syndrom und AML auf.[19,20,26-29]

Das von der WHO im Jahr 2002 vorgeschlagene Klassifizierungssystem stuft AMLs wie folgt ein: [23]

- AML mit charakteristischen oder wiederkehrenden zytogenetischen

Anomalien. AML mit t (8; 21) (q22; q22); (AML1/ETO).

AML mit inv16 (p13q22) oder t (16; 16) (p13; q22); (CBFß/MYH11).

AML mit t (15; 17) (q22; q12); (PML/RARα und Varianten). AML mit t (6:9) (DEK/KAN).

AML mit t (9:11) (MLL/MLL-T3). AML mit t (1; 22).

- AML im Zusammenhang mit einer Myelodysplasie.

- AML, therapiebedingt. AML in Verbindung mit

Alkylierungsmitteln.

Topoisomerase-II-Inhibitor-bedingte AML.

- LMA ohne weitere Angaben.

Geringfügig differenzierte akute myeloblastische Leukämie (FAB-

Klassifikation M0). Nicht reifende akute myeloblastische Leukämie (FAB-Klassifikation M1).

Akute myeloblastische Leukämie mit Reifung (FAB-Klassifikation M2).

Akute myelomonozytäre Leukämie (FAB-Klassifikation M4).

Akute monoblastische Leukämie und akute monozytäre Leukämie (FAB-Klassifikationen M5a und M5b).

Akute erythroide Leukämien (FAB-Klassifikation M6a und M6b). Akute megakaryoblastische Leukämie (FAB-Klassifikation M7).

- AML/transiente myeloproliferative Störung bei Down-Syndrom.

Akute basophile Leukämie.

Akute Panmyelose mit Myelofibrose.

- Myeloisches Sarkom. Li-Antigen-positive AML. Hybride AML.

Bei der AML werden bei 55 % der Patienten strukturelle und/oder numerische Chromosomenveränderungen festgestellt. Die Ergebnisse der zytogenetischen Untersuchung zum Zeitpunkt der Diagnose sind zusammen mit dem Alter der wichtigste prognostische Faktor, der das Ansprechen auf die Behandlung und das Überleben bestimmt. [13]

Auf der Grundlage dieser Befunde werden AML-Patienten in drei zytogenetische Gruppen eingeteilt: günstig, intermediär und ungünstig. Die Fortschritte in der Molekulargenetik haben in den letzten 15 Jahren zur Identifizierung von mehr als 100 Mutationen und/oder Gen-Rearrangements geführt, die die Heterogenität der Krankheit widerspiegeln, die Prognose der AML verbessern und Hinweise auf molekulare Ziele liefern. Die wichtigsten molekularen Veränderungen werden im Folgenden beschrieben:[5,35-39]

- FLT3-Genmutationen:

Dies ist eine der häufigsten Mutationen bei AML2 und wird auch mit dem Fortschreiten vom myelodysplastischen Syndrom zur sekundären AML und akuten promyelozytären Leukämie (APL) in Verbindung gebracht. Somatische Mutationen, die zu einer konstitutiven Aktivierung des FLT3-Gens führen, wurden in zwei Funktionsbereichen des Rezeptors identifiziert: in der Juxtamembrandomäne und in der Tyrosinkinasedomäne.

Aus klinischer Sicht sind diese Mutationen aufgrund ihrer prognostischen Bedeutung und als attraktives Ziel für eine molekulare Therapie von Bedeutung. Patienten mit FLT3-ITD weisen eine hohe Anzahl weißer Blutkörperchen und einen hohen Anteil an Blasten im Knochenmark auf und haben ein höheres Risiko, an AML *de* novo zu erkranken als Patienten mit dem FLT3-Gen in der Keimbahn (FLT3-WT). Mehrere Studien haben gezeigt, dass das Vorhandensein von FLT3-ITD bei Patienten mit CN-AML mit einer schlechten Prognose verbunden ist, mit einem verringerten Gesamtüberleben (OS) aufgrund eines erhöhten Rückfallrisikos (RR). Die Prognose scheint ungünstig zu sein, insbesondere wenn kein Keimbahn-Allel exprimiert wird oder wenn das Verhältnis FLT3-ITD: FLT3-WT erhöht ist. Die Prognose von Patienten mit TKD-Punktmutationen ist umstritten.[40]

- Mutationen des c-KIT-Gens:

Ungefähr 80% der AML-Patienten haben Blasten, die c-KIT exprimieren. Es gibt zwei Arten von Mutationen: Mutationen im extrazellulären Teil von Exon 8 und Aktivierungsschleifen-Mutationen in Codon 816 von Exon 172. Die Gesamthäufigkeit dieser Mutationen bei AML ist gering (6-8% bzw. 2%).

In bestimmten AML-Untergruppen ist der Anteil der c-KIT-Mutationen höher: 12 bzw. 16 % bei AML-Patienten mit t(8;21) und zwischen 22 und 13 % bei Patienten mit inv(16)/t(16;16).

Morphologisch werden 70 % der Patienten mit c-KIT-Mutation als M2 FAB eingestuft. Bei AML mit t (8; 21) ist die c-KIT-Genmutation mit einer Leukozytose bei der Diagnose verbunden. Die Inzidenz von c-KIT unterscheidet sich nicht signifikant zwischen *de* novo AML, AML sekundär zu MDS und AML sekundär zu Chemotherapiebehandlung.[37]

- Mutationen der RAS-Gene:

Bei der AML ist die Häufigkeit von RAS-Mutationen unabhängig von Alter, Geschlecht, anfänglicher Anzahl der weißen Blutkörperchen, WHO-Klassifikation, de novo und sekundärer AML. AML-Untergruppen mit inv (16)/t (16; 16) oder inv (3)/t (3; 3) weisen eine hohe Häufigkeit von RAS-Mutationen auf, zwischen 35 und 27%, im Gegensatz zur geringen Häufigkeit bei APL. Die Koexistenz von RAS- und FLT3-Genmutationen ist selten (2 %). Diese Seltenheit steht im Einklang mit dem oben beschriebenen kooperativen Modell der Leukämogenese. Die meisten Studien haben keinen prognostischen Einfluss von RAS-Genmutationen auf das OS, das krankheitsfreie Überleben (DFS) und die RR gezeigt, obwohl man annimmt, dass RAS-Genmutationen einen Faktor für die Progression darstellen können. [40,41]

- Mutationen des CBF-Komplexes:

Zytogenetisch wird die CBF-Gruppe durch das Vorliegen von t(8;21)(q22;q22) oder inv(16)(p13q22)/ t(16;16)(p13;q22) definiert. Beide Untergruppen machen 15 % der AMLs aus und gelten als prognostisch günstig, mit hohen CR- und verlängerten OS-Raten.

Patienten mit t (8; 21) und inv (16)/t (16; 16) profitieren von einer

Konsolidierungstherapie mit hochdosiertem Cytarabin. Einige Studien zeigen ein besseres OS bei Patienten mit inv (16)/t (16; 16) im Vergleich zu denen mit t (8; 21).[26, 29]

- CEBPA-Genmutationen:

CEBPA-Mutationen tragen zur Blockade der Reifung der myeloischen Vorläuferzellen bei der AML bei. Sie sind häufig mit den FAB-Typen M1 und M2 assoziiert und wurden in 7-9 % der AML-Fälle beobachtet. Bei Patienten mit AML und t (8; 21) (q22; q22), die mit einer M2-Morphologie assoziiert ist, hemmt das AML1-ETO-Fusionsprotein die CEBPA-Expression auf ein für die neutrophile Differenzierung unzureichendes Niveau. [42]

Diese Daten und die Feststellung, dass der in der *Knockoutcebpa-Maus* beobachtete Differenzierungsblock dem M2-Phänotyp ähnelt, unterstützen die Hypothese, dass die CEBPA-Mutation und t (8; 21) einen gemeinsamen Weg in der Pathogenese der AML haben könnten.

Es gibt zwei Arten von Mutationen: N-terminale Mutationen, die eine vollständige Expression des Proteins verhindern, und C-terminale Mutationen, die zu einer schlechten DNA-Bindung führen oder die Fähigkeit zur Dimerisierung hemmen. Einige Patienten haben eine einzige Mutation, während andere mehrere Mutationen aufweisen. CEBPA-Mutationen wurden mit günstigem OS und SLE in Verbindung gebracht, wurden bei Patienten mit intermediärer Prognose zytogenetisch beschrieben und wurden bei prognostischen Leukämien nicht beobachtet. Günstige, d. h. CBF7-Leukämien. Klinische Daten deuten auf ein günstiges Ansprechen auf eine hochdosierte Cytarabin-Chemotherapie hin, wobei das OS ähnlich hoch ist wie bei CBF-Leukämien.[42]

- MLL-Genmutationen:

Das MLL-Gen, das sich auf Chromosom 11q23 befindet, weist bei Patienten mit akuter Leukämie immer wieder Chromosomenaberrationen auf. So weisen 15 % der Patienten mit akuter myeloischer oder lymphatischer Leukämie, *de novo* oder sekundär nach einer Behandlung mit Topoisomerase-II-Inhibitoren, Veränderungen in diesem Gen auf, und sein Vorhandensein ist in einigen Serien mit einer kurzen CR-Dauer und einem kurzen SLE verbunden.[43-45]

Die AML äußert sich durch Anzeichen und Symptome, die mit einer ineffektiven Blutbildung zusammenhängen (Infektionen, Blutungen und eingeschränkte Sauerstofftransportkapazität). Häufige Anzeichen und Symptome bei ALL (entweder myeloblastisch oder lymphoblastisch) sind Knochenschmerzen, Müdigkeit, Erschöpfung, Kurzatmigkeit, Myalgie und Zahnfleischbluten. Bei der AML umfassen die Labordaten ein vollständiges Blutbild mit Anämie, Thrombozytopenie, Leukozytose oder Neutropenie. Eine Koagulopathie, die einer disseminierten intravaskulären Koagulopathie ähnelt und sich durch niedrige Fibrinogenwerte und eine erhöhte aktivierte partielle Thromboplastinzeit äußert. Die Untersuchung des peripheren Blutes zeigt Myeloblasten mit Auer-Stäbchen, d. h. verlängerten Chromatinstücken.[1,11,12,46]

Die Diagnose der AML umfasst eine Beurteilung des körperlichen Zustands, ein Hämogramm, eine Knochenmarkspunktion und eine Biopsie. Die morphologische Untersuchung des Knochenmarks ermöglicht die Berechnung des prozentualen Anteils der Blasten im Knochenmark sowie morphologische Daten zur Unterscheidung zwischen lymphoiden und myeloischen Blasten. Spezifische Färbungen, Immunphänotypisierung und zytogenetische Analysen werden zur Bestätigung der Diagnose durchgeführt.[11,12,14]

Die zytogenetische Analyse ermöglicht es, die Chromosomen der leukämischen Zellen auf genetische Anomalien zu untersuchen. Zu den genetischen Läsionen, die für die anomale Wachstumsform des leukämischen Klons verantwortlich sind, gehören Chromosomenverluste oder -gewinne, die zu einem Hyperdiploid oder Hypodiploid führen, Chromosomentranslokationen, die zur Bildung von transformierten Fusionsgenen oder zur Dysregulation der Genexpression führen, sowie die Inaktivierung der Funktion von Tumorsuppressorgenen.[12]

Mit den heutigen wirksamen pädiatrischen Protokollen zur Behandlung der AML werden vollständige Remissionsraten von 75 % bis 90 % erreicht. Von den Patienten, die nicht in Remission gehen, hat etwa die Hälfte eine refraktäre Leukämie und die andere Hälfte stirbt an Komplikationen der Krankheit oder ihrer Behandlung. Um eine vollständige Remission zu erreichen, ist es in der Regel erforderlich, eine tiefgreifende Knochenmarksaplasie herbeizuführen (mit Ausnahme von APL Subtyp M_3). Die Induktionschemotherapie verursacht eine schwere Myelosuppression mit erheblicher Morbidität und Mortalität aufgrund von Infektionen oder Blutungen.[1,8,9,11]

Die beiden wirksamsten Medikamente, mit denen eine Remission erreicht werden kann, sind ARA-C und ein Anthrazyklin. Die in der Pädiatrie am häufigsten verwendeten Induktionstherapieschemata verwenden Cytarabin und ein Anthrazyklin in Kombination mit anderen Medikamenten wie Etoposid oder Thioguanin. Die BFM-Gruppe hat Cytarabin und Daunorubicin plus Etoposid (ADE) untersucht, die über 8 Tage verabreicht werden. Daunorubicin ist das am häufigsten verwendete Anthrazyklin in Induktionsschemata bei Kindern mit AML, obwohl auch Idarubicin verwendet wurde. [21,23,25]

Die Intensität der Induktionstherapie beeinflusst das Gesamtergebnis der Therapie. Während das Vorhandensein einer Leukämie des zentralen

Nervensystems (ZNS) zum Zeitpunkt der Diagnose bei AML im Kindesalter häufiger vorkommt als bei ALL im Kindesalter, ist die unmittelbar auf eine ZNS-Beteiligung zurückzuführende Verkürzung der Gesamtüberlebenszeit bei AML im Kindesalter derzeit weniger häufig. Dieser Befund könnte sowohl mit den höheren Chemotherapiedosen zusammenhängen, die bei der AML eingesetzt werden (die die Blut-Hirn-Schranke überwinden können), als auch mit der Tatsache, dass die Erkrankung des Rückenmarks bei der AML noch nicht so gut unter langfristige Kontrolle gebracht werden konnte wie bei der ALL. Kinder mit AML-Subtypen M_4 und M_5 haben die höchste Inzidenz von ZNS-Leukämie.[25, 29]

Das ideale antineoplastische Mittel wäre eines, dessen Wirkmechanismus die Unterscheidung zwischen normalen Zellen und Tumorzellen beinhaltet, so dass der bösartige Prozess mit minimaler Schädigung des normalen Gewebes bekämpft werden kann. Im Allgemeinen sind die zellulären Ziele der meisten antineoplastischen Wirkstoffe Enzyme oder Substrate, die mit der DNA-Synthese oder -Funktion zusammenhängen. Trotz der Bemühungen der medizinischen und pharmazeutischen Welt, den idealen Wirkstoff zu finden, ist es bisher nicht gelungen, die Wirkung von Chemotherapeutika auf Nicht-Tumorzellen zu neutralisieren, was sie zu äußerst zerstörerischen und komplizierten Wirkstoffen macht.[30,31]

Im Folgenden werden die wichtigsten Merkmale der Medikamente vorgestellt, die bei der Induktionsbehandlung von Patienten mit dieser Pathologie eingesetzt werden, wobei der Schwerpunkt auf den unerwünschten Wirkungen liegt, die gemeldet werden können, da diese den Hauptgegenstand dieser Untersuchung darstellen.

♦ Cytosinarabinosid (Cytarabin):[47]

Es ist ein Desoxycytidin-Analogon, dessen triphosphorylierter Metabolit. Das arac-CTP konkurriert mit CTP um den Einbau in die DNA. Der eingebaute Rest ist ein starker Inhibitor der DNA-Polymerase. arac-CMP hemmt auch die Synthese von Oberflächenglykoproteinen und Phospholipiden und verändert dadurch die Struktur und Funktion der Zellmembran.

Seine Bioverfügbarkeit ist gering, 78% werden mit dem Urin ausgeschieden und es überwindet die Blut-Hirn-Schranke gut. Es kann intravenös, intrathekal und subkutan angewendet werden. Die wichtigsten Wechselwirkungen bestehen mit Allopurinol, Colchicin, Probenecid und Sulfinpyrazon.

Seine Toxizität zeigt sich in der Höhe:

- Magen-Darm: Kann sich in Form von Bauchschmerzen, Übelkeit, Erbrechen, Stomatitis, Durchfall, Pankreatitis und Darmnekrosen äußern.

- Hämatologisch: Eine Myelosuppression kann innerhalb von 7 bis 14 Tagen auftreten.

- Dermatologisch: wie Alopezie, Hautausschlag, Dermatitis, Pruritus, Urtikaria.

- Auf der Ebene des zentralen Nervensystems kann es zu folgenden Symptomen führen: chemische Arachnoiditis, vorübergehende Querschnittslähmung, periphere Neuropathie, irreversible Leukoenzephalopathie mit Nystagmus, Ataxie, Dysarthrie, Dysmetrie, Halluzinationen. Es können auch Konvulsionen, Koma und Tod auftreten. Sie wird hauptsächlich im Zusammenhang mit einer intrathekalen Überdosierung des Arzneimittels beobachtet und tritt 7 bis 8 Tage nach der Verabreichung des Arzneimittels in ihrer vollen Pracht auf.

- Nieren: äußert sich durch Wassereinlagerungen und

Nierenfunktionsstörungen.

- Hepatisch: manifestiert durch hepatisches sinusoidales Obstruktionssyndrom, Cholestasisintrahepatica und hepatische Dysfunktion.

- Andere: Es können auch andere Toxizitätserscheinungen auftreten, wie z. B.: chemische Keratokonjunktivitis bei hohen Dosen, anaphylaktoide Reaktion Typ I, Zytosar-Syndrom, gekennzeichnet durch Fieber, Myalgie, Altralgie, rashmaculopapulären Ausschlag, Asthenie und Konjunktivitis, die gewöhnlich innerhalb von 6-12 Stunden nach der Verabreichung des Arzneimittels auftreten und mit Steroiden behandelt werden sollten, Tachyarrhythmien und Pneumonitis.[47-49]

♦ Anthrazykline:

Es handelt sich um eine Gruppe von Antitumor-Antibiotika, die 1963 erstmals beschrieben und aus Streptomyces Peucetius extrahiert wurden. Die erste beschriebene Verbindung war Daunorubicin, später wurde durch Mutationsinduktion Doxorubicin gewonnen, das sich von seinen ähnlichen Vertretern durch eine Hydroxylgruppe unterscheidet, die ihm ein viel breiteres Antitumor-Muster verleiht.Die zweite Generation der Anthrazykline, zu denen Idarubicin und Epirubicin gehören, hat synthetische Eigenschaften.

Diese Verbindungen bestehen aus mehreren Ringen: a, b, c, d, die einen flachen tetrazyklischen Ring mit variablen Seitenketten einschließlich Doaunoxamin bilden. Die Ringe b und c besitzen Chinon und Hydrochinon, die für die Fluoreszenz dieser Produkte, die Fähigkeit zur Bildung freier Radikale und zur Bildung von Metallionen verantwortlich sind. Die planare Struktur der Anthracycline ermöglicht es ihnen, sich zwischen DNA-Basen einzuschleusen, was zu topologischen

Veränderungen führt, die eine Hemmung der DNA-, RNA- und Proteinsynthese bewirken.

Sie sind auch Verbindungen, die die Topoisomerase II hemmen, das Enzym, das für die chromosomale Kondensation der DNA verantwortlich ist, und diese Hemmung führt zur Bildung von DNA-Enzym-ANT-Komplexen, die zu DNA-Brüchen führen. Ein weiterer Mechanismus, der für seine Wirkung verantwortlich gemacht wird, ist die Bildung von freien Radikalen, die für zahlreiche Gewebeschäden verantwortlich sind. Freie Radikale sind aktiv an dem pathogenen Mechanismus der Kardiotoxizität dieser Verbindungen beteiligt. Es wurde auch vermutet, dass die Interaktion mit intrazellulären Signaltransduktionswegen zu ihrer Antitumorwirkung beitragen könnte.[49,50]

Pharmakokinetik: Geringe Verfügbarkeit auf oralem Weg, mit Ausnahme von Idarubicin, das auf diesem Weg gut resorbiert wird; seine Verwendung erfolgt ausschließlich auf intravenösem Weg, etwa 75 % werden an Plasmaproteine gebunden. In allen Fällen haben Anthracycline einen hepatischen Metabolismus, bei dem ihre verschiedenen Metaboliten gebildet werden, die Ausscheidung erfolgt vorwiegend über die Galle, nur Epirubicin wird in höherem Maße über die Nieren ausgeschieden, da es lösliche Glucuronderivate bildet.[51]

Die Verbindungen, die in dieser Gruppe zu finden sind, werden im Folgenden aufgeführt:

o Daunorubicin: Darreichungsform: 10mg/5ml und 20mg/10ml Ampullen.

o Daunorubicinaliposomal: Darreichungsform: 50-mg-Ampullen, die nur in 5%iger Glukoselösung verdünnt werden können, nicht in 0,9%iger physiologischer Kochsalzlösung verdünnen, die Endkonzentration sollte 1 mg/ml betragen.

o Doxorubicin: Aufmachung: 10mg/5ml und 50mg/10ml Ampullen.

o Doxorubicinaliposomalpegyliert:Darreichungsform: 20 mg / 10 ml Ampullen, kann nur in Glukoselösung verdünnt werden, keine Kochsalzlösung verwenden.

o Darreichungsform: 5mg/5ml und 10mg/10ml Ampullen und 5 und 25 mg Kapseln.

o Mitoxantron: Aufmachung. 20- und 30-mg-Ampullen.[1,11,13]

Wechselwirkungen: Anthrazykline können normales Gewebe für die Wirkung der Strahlentherapie sensibilisieren und zu Rückfallreaktionen in bestrahlten Bereichen führen. Sie sollten nicht gleichzeitig mit Allopurinol, Colchicin oder Probenecid verabreicht werden, da sie den Harnsäurespiegel im Blut erhöhen. Daunorubicin ist unverträglich mit Heparin, Dexamethason-Natrium und aluminiumhaltigen Verbindungen.[1,11,13]

Toxizität:

• Intestinale Symptome: Anorexie, Diarrhoe, Mukositis, Stomatitis.

• Hämatologisch: Myelosuppression.

• Dermatologisch: Gesichtsrötung, Hyperpigmentierung der Haut, Hautausschlag, Phlebosklerose, im Falle von Mitoxantron kann nach der Behandlung eine Blaufärbung der Nägel auftreten.

• Andere: Amenorrhoe, Hitzewallungen, Oligospermie, Azoospermie, Schüttelfrost, Lichtempfindlichkeit, amphylaktische Reaktion, erhöhte Leberenzyme, roter Urin.

Die am meisten gefürchtete Nebenwirkung bei der Verwendung von Anthrazyklinen ist die Kardiotoxizität. Anthrazykline sind seit mehr als drei Jahrzehnten Bestandteil vieler Therapieschemata, die bei Patienten mit neoplastischen Erkrankungen eingesetzt werden, und sie waren eine wichtige Stütze bei den Erfolgen in Bezug auf das Überleben, vor allem in der pädiatrischen Altersgruppe, Wenn man bedenkt, dass die akute lymphatische Leukämie die häufigste bösartige Hämopathie bei Kindern ist und dass diese Therapielinie für die Heilung der Krankheit von entscheidender Bedeutung ist, kann man verstehen, warum multizentrische Studien durchgeführt werden, um das Follow-up und die Entwicklung der Spätkomplikationen von antineoplastischen Mitteln zu überwachen. Die Spätfolgen für das Herz-Kreislauf-System gehören zu den am meisten gefürchteten. [51,52]

Es gibt verschiedene Arten von Anthrazyklin-Kardiotoxizität, die hauptsächlich von der zeitlichen Abfolge, in der die Symptome auftreten, und der Art der Kardiotoxizität abhängen. Sie können unterteilt werden in:

Akut: tritt bei der Infusion oder innerhalb weniger Stunden nach der Infusion auf, ist vorübergehend und äußert sich durch elektrische Störungen. Sie sind seltener als chronische und treten selten nach einer einzigen Dosis auf.

Die häufigsten elektrischen Störungen in dieser Form:

- Unspezifische ST-T-Segment-Veränderungen.
- QRS-Abnahme.
- QT-Segment-Verlängerung.
- Sinus-Tachykardie.
- Supreventrikuläre und ventrikuläre Herzrhythmusstörungen.
- Erregungsleitungsstörungen (AV- und Schenkelblock).

Subakut: tritt Tage oder Wochen später auf; am häufigsten werden

Perikarditis, Myokarditis und kongestives Herzversagen beschrieben.

Chronisch: Die früh einsetzende, klinisch fortschreitende Chronizität ist die häufigste und tritt innerhalb des ersten Jahres nach der Behandlung auf und ist durch Kardiomyopathie und akute Herzinsuffizienz gekennzeichnet; die spät einsetzende, klinisch fortschreitende Chronizität kann bis zu 20 Jahre nach Ende der Behandlung auftreten und ist hauptsächlich durch Herzinsuffizienz, Herzrhythmusstörungen und ventrikuläre Dysfunktion gekennzeichnet. Die chronische Form ist die häufigste Form der Anthrazyklin-Kardiotoxizität und hängt in der Regel mit der kumulativen Wirkung des Arzneimittels zusammen.[51-53]

Der Mechanismus der Toxizität könnte auf die Hemmung der Funktion von Topoisomerase II zurückzuführen sein, einem sehr wichtigen Enzym, das an der Reparatur von DNA-Ketten beteiligt ist. Diese Medikamente erzeugen auch große Mengen freier Radikale aus den Eisen-Anthracyclin-Komplexen, die durch Lipidperoxidation Schäden an der Zytoplasmamembran verursachen können, Dies scheint die Hauptursache für die Kardiotoxizität zu sein, da das Herz nur über wenige Enzymkomplexe zur Begrenzung der Schäden durch freie Radikale verfügt, was es sehr empfindlich gegenüber oxidativem Stress macht.[9,54]

Myokardschäden sind auf Myozytenapoptose, Gewebeschäden und Fibrose zurückzuführen. Zu den Auswirkungen der freien Radikale gehören eine gestörte Kalziumbindung an das sarkoplasmatische Retikulum, die zu einer Kalziumüberladung und einem Kontraktionsversagen führt, Defekte in der Expression von Troponin-, Aktin- und Myosin-Leichtkettengenen sowie die Freisetzung vasoaktiver Amine und proinflammatorischer Zytokine wie Tumornekrosefaktor und Interleukin 2. Darüber hinaus können freie Radikale aber auch intrazelluläre Signalsysteme aktivieren, die den programmierten Zelltod auslösen.[55]

Als histopathologische Folgen der oben genannten Veränderungen wurden ein starker Myofibrillenverlust, eine Zerstörung der Mitochondrien durch den Entzündungsprozess und eine Kerndegeneration beobachtet. Das Ausmaß dieser Veränderungen wurde zur Bestimmung des Schweregrads der Schädigung herangezogen, jedoch werden serielle Endomyokardbiopsien in der Regel nicht verwendet, da sie invasiv sind und einen geringen Vorhersagewert haben. Es gibt mehrere nicht-invasive Methoden, die zu diesem Zweck eingesetzt werden können, wie z. B. Ultraschall in Ruhe und unter Belastung zur Messung der Verkürzungsfraktion und Radionuklidangiographie zur Messung der Auswurffraktion. Das Vorhandensein einer eingeschränkten diastolischen und systolischen Funktion deutet auf eine Myokardschädigung hin, bevor sie sich klinisch äußert, ist jedoch kein Frühindikator für Kardiotoxizität.[54,55]

Die histologische Schädigung ist nicht homogen, oft fleckig, auf eine Wand oder einen Ventrikel beschränkt, und die Abfolge der histologischen Schädigung beginnt mit einem Ödem des sarkoplasmatischen Retikulums, zytoplasmatischer Vakuolisierung, myofibrillärer Degeneration, Myozytenzerstörung und Fibrose. Auf der Grundlage des Schweregrads dieser Veränderungen wurde eine Klassifizierung der histologischen Schäden vorgeschlagen.

Note 0: Keine Änderungen.

Grad 1: Weniger als 5 % der Zellen mit frühen Veränderungen (Verlust von Myofibrillen und/oder Ödem des sarkoplasmatischen Retikulums).

Grad 1,5: 5-15 % der Zellen mit deutlichen Veränderungen (deutlicher Verlust von Myofibrillen und/oder zytoplasmatische Vakuolisierung).

Grad 2: 16-25% der Zellen mit eindeutigen Veränderungen. Grad 2,5: 26-35 % der Zellen mit eindeutigen Veränderungen.

Grad 3: Diffuse Zellschädigung von mehr als 35 % mit deutlichen Veränderungen (Verlust kontraktiler Elemente, Verlust intrazellulärer Organellen, mitochondriale und/oder nukleäre Degeneration).[57,58]

Der klinische Verlauf einer Anthrazyklin-induzierten linksventrikulären Dysfunktion ist schleichend, progressiv und in der Regel irreversibel, obwohl es zu einer spontanen Rückbildung kommen kann, wenn das Medikament in einem frühen Stadium der histologischen Schädigung abgesetzt wird.[58]

Für die Bewertung von Herzmuskelschäden wurden verschiedene Techniken vorgeschlagen, von denen die am häufigsten verwendeten die folgenden sind:

- Elektrokardiographie im Ruhezustand: Es wurde berichtet, dass die Analyse der Herzfrequenzvariabilität ein frühzeitiger Index der Kardiotoxizität sein kann, der eine autonome Dysfunktion bei gleichbleibender systolischer Funktion widerspiegelt.

- Radioisotopische Ventrikulographie: Sie liefert die linksventrikuläre Auswurffraktion, die verändert ist, bevor klinische Anzeichen einer Herzinsuffizienz auftreten, und kann mit einer First-Pass- oder einer topographisch getriggerten Technik durchgeführt werden (spect).

- Zweidimensionale Oberflächenechokardiographie: Die Berechnung der linksventrikulären Ejektionsfraktion weist eine akzeptable Korrelation mit radioisotopischen und angiographischen Untersuchungen auf. Ihr Hauptnachteil ist die Abhängigkeit vom Bediener und das schlechte akustische Fenster. Da es sich um eine

Methode handelt, die nicht mit ionisierender Strahlung verbunden ist, wurde sie für den Einsatz in der pädiatrischen Bevölkerung bevorzugt. Es ist interessant festzustellen, dass die Ultraschallbewertung der diastolischen Funktion durch M-Mode-Untersuchung der Aortenwurzel- und Mitralklappenmotilität sowie andere Echo-Doppler-Parameter als Frühindikatoren für Myokardschäden berichtet worden sind.

- Endomyokardiale Biopsie: Obwohl es sich um die Referenztechnik handelt, ist es ein Verfahren, das neben den hohen Kosten und der Invasivität auch ein in der Interpretation geschultes Personal erfordert, weshalb es nur in den Fällen eingesetzt wird, in denen nicht-invasive Untersuchungen nicht schlüssig sind.

- Indium-111-markierte Antimyosin-Antikörper: Obwohl sie eine sehr gute Empfindlichkeit zu haben scheinen, schränken ihre hohen Kosten und ihre begrenzte Verfügbarkeit ihre Verwendung für die Untersuchung der chronischen Anthrazyklin-Kardiotoxizität ein.

- Quantifizierung adrenerger Rezeptoren mit Jod-123-markiertem Meta-Iodobenzyl-Guanidin.

- Biochemische Plasmamarker: Endothelin-1, Toponin T und natriuretisches Peptid B sind die wichtigsten Marker.[57-59]

Eine Reihe von Faktoren, die kardiovaskuläre Schäden durch diese antineoplastischen Wirkstoffe begünstigen oder verschlimmern, wurden ermittelt und dienen den Spezialisten als Grundlage für die Vorbeugung von Patienten, die weitere Schäden entwickeln könnten.

Risikofaktoren für die Kardiotoxizität:[51,58]

- Alter (extreme Altersgruppen wie unter 15 und über 65).

- Kumulative Wirkung des Medikaments.

- Vorgeschichte einer Herzerkrankung.

- Verwenden Sie von Strahlentherapie von Mediastinum o Gleichzeitigkeit mit anderen kardiotoxischen Arzneimitteln.

- Weibliches Geschlecht.

- Vitamin-E-Mangel.

- Art des verwendeten Anthrazyklins.

Die Sterblichkeit ist sehr hoch, wobei die Überlebensrate bei Patienten mit dilatativer Kardiomyopathie geringer ist. Es gibt zahlreiche Strategien zur Verhinderung dieser Komplikationen, vor allem Dosisanpassungen, die Verwendung neuer Anthrazyklinpräparate, die Verwendung von Anti-Kalzium- und Betablockern, die Verwendung von kardioprotektiven Mitteln wie Eisenchelatbildnern und Radikalfängern. Zu den häufig verwendeten Medikamenten gehören Dexrazoxan, Amifostin, Glutathion, Vitamin E, Erythropoietin, Captopril, Verapamil, Probucol und Melotonin. Das am häufigsten verwendete Medikament ist Dexrazoxan.[57-60]

Die Festlegung der vorhersehbaren Höchstdosis für jeden Anthrazyklinwirkstoff sowie die serielle und nicht-invasive Entwicklung der linksventrikulären Funktion sind heute die grundlegende Basis für die Prävention von Kardiotoxizität.[58]

Gegenwärtig gelten für die Verwendung von Anthrazyklinen die folgenden empfohlenen Dosisobergrenzen:[56-60]

- Doxorubicin: >550 mg/m^2 sc (Gesamtdosis).

- Daunorubicin: >550 mg/m^2 sc (Gesamtdosis).

- Mitoxantron: 100-200mg/m^2 sc (Gesamtdosis).

- Epirubicin: 800 mg/m^2 sc (Gesamtdosis).

- Idarrubicin: 120mg/m^2 sc(Gesamtdosis)

Epipodophyllotoxine: In den 1950er Jahren wurden aus Podoxyphyllin zwei Verbindungen entwickelt, die als Etopoxid und Tenipoxid bekannt sind und 1983 von der FDA für die Behandlung verschiedener bösartiger Erkrankungen zugelassen wurden. Podoxyphyllin ist ein Extrakt aus Podopyillum pertatum und seine antineoplastischen Eigenschaften wurden erstmals 1946 beschrieben, obwohl es zuvor b e r e i t s bei der Behandlung verschiedener anderer leichterer Erkrankungen eingesetzt wurde.[61]

Etopoxid (VP-16): Seine Wirkung beruht hauptsächlich auf den von ihm induzierten Querverbindungen zwischen DNA und Proteinen, die nicht-funktionale Komplexe bilden, und auf den Brüchen, die es in den DNA-Strängen erzeugt. Es bewirkt eine irreversible Blockade in Zellen in prämiotischen Phasen des Zellzyklus, indem es sie in der Synthesephase oder in G2 aufhebt. Es bewirkt eine reversible Hemmung der Topoisomerase II, so dass die DNA ihre Replikations- und Transkriptionsfunktionen ausüben kann.[61]

Der Hauptverabreichungsweg ist die intravenöse Verabreichung, obwohl es auch oral eingenommen werden kann. Es ist zu 90-95% an Plasmaproteine gebunden und wird hepatisch verstoffwechselt; seine konjugierten Metaboliten haben keine antineoplastische Wirkung. Es ist zu beachten, dass Patienten mit Hypoalbuminämie bei gleicher Dosis des Arzneimittels eine höhere Toxizität aufweisen, da die Konzentration des freien oder proteingebundenen Arzneimittels in einem proportionalen Verhältnis zur Albumin-Konzentration steht. Das Medikament überwindet nicht die Blut-Hirn-Schranke.[61,62]

Wechselwirkungen: Es wurden verschiedene Verbindungen beschrieben, die die Toxizität von Ethopoxid erhöhen, darunter Cisplatin, Cyclosporin und Grapefruitsaft, die wiederum die gerinnungshemmende Wirkung von Warfarin verstärken.

Toxizität:[63,64]

- Magen-Darm: Übelkeit, Erbrechen, Anorexie, Schleimhautentzündung, Verstopfung, Bauchschmerzen, Durchfall, Geschmacksveränderungen, Dysphagie.

- Hämatologisch: Myelosuppression.

- Hepatisch: Leberfunktionsstörung.

- Dermatologisch: Phlebitis, toxische epidermale Nekrolyse, Alopezie, Hyperpigmentierung, Pruritus, Dermatitis.

- ZNS: periphere Neurotoxizität.

- Sonstige: Überempfindlichkeitsreaktionen, Kardiotoxizität bei hohen Dosen, Stevens-Johnson-Syndrom, zweite bösartige Erkrankungen, vorübergehende Hypotonie, die bei Verabreichung innerhalb von 30 Minuten schwerwiegend sein kann.

Eine der größten Herausforderungen bei der Behandlung der AML ist die Verlängerung der Dauer der anfänglichen Remission durch zusätzliche Chemotherapie oder HSCT. In der Praxis werden die meisten Patienten nach Erreichen der Remission mit einer intensiven Chemotherapie behandelt, da nur eine kleine Untergruppe einen passenden verwandten Spender hat. Bei dieser Behandlung werden Medikamente verwendet, die auch bei der Induktion eingesetzt wurden, und in der Regel auch hohe Dosen von C-ARBs. [1]

Die Knochenmarkstransplantation in der ersten Remission wird seit Ende der 1970er Jahre untersucht. Jüngste Studien zur Transplantation bei

Kindern mit AML deuten darauf hin, dass mehr als 60 % bis 70 % der Kinder mit einem passenden Spender, die sich während ihrer ersten Remission einer allogenen Knochenmarktransplantation unterziehen, langfristige Remissionen erfahren. Studien zur allogenen Transplantation im Vergleich zur Chemotherapie oder autologen Transplantation haben gezeigt, dass die Ergebnisse bei Patienten, die aufgrund der Verfügbarkeit eines 6/6- oder 5/6-verwandten Spenders für die allogene Transplantation ausgewählt wurden, besser sind.[65-67]

Für den Einsatz der allogenen Knochenmarktransplantation in der ersten Remission haben sich zwei Ansätze herauskristallisiert. Die BFM-Gruppe verwendet eine Kombination aus dem Ansprechen des Knochenmarks am Tag 15 (<5% Blasten) und dem FAB-Subtyp (M1 und M2 mit Auer-Stäbchen, M3 oder M4 E0), um eine Gruppe mit gutem Risiko zu definieren.[44] In ähnlicher Weise hat der Medical Research Council (MRC) des Vereinigten Königreichs eine Gruppe von Patienten mit gutem Risiko identifiziert, die eine Sieben-Jahres-Überlebensrate nach vollständiger Remission von 78 % und eine krankheitsfreie Überlebensrate von 59 % aufweisen. Zu dieser Gruppe gehören Patienten mit t (8; 21), t (15; 17), FAB M3, inv16. Damit wird höchstwahrscheinlich eine gleichwertige Gruppe von Patienten identifiziert, die zur Standard-BFM-Risikogruppe gehören. Der zweite Ansatz besteht darin, allen Patienten, die einen passenden Spender haben, eine allogene Knochenmarktransplantation anzubieten.[65-68]

Mit dem Aufkommen neuer Erkenntnisse und technologischer Fortschritte, die es uns ermöglichen, spezifischere molekulare Ziele zu identifizieren, kann die Behandlung der AML im Laufe der Zeit besser nach dem Risiko stratifiziert werden, und die zu verwendenden Medikamente können eine stärkere Anti-Tumor-Wirkung und weitaus weniger Komplikationen haben, was ein längeres Gesamtüberleben unserer Kinder und eine bessere Lebensqualität ermöglichen wird.

METHODISCHER AUFBAU:

Eine deskriptive Querschnittsstudie wurde durchgeführt, um Patienten zu beschreiben, bei denen eine akute myeloische Leukämie in der Einweisungsphase am Universitäts-Kinderkrankenhaus "José Luís Miranda" in Santa Clara diagnostiziert wurde.

Die Studienpopulation bestand aus 24 Kindern, bei denen eine akute myeloische Leukämie in der Phase der Remissionsinduktion diagnostiziert wurde. Stichprobenverfahren waren nicht erforderlich.

VARIABEL:

VARIABELN	BESCHREIBUNG	MESSSKALA
Alter.	Alter in Jahren abgeschlossen.	❖ < 1 Jahr ❖ 1 - 4 Jahre ❖ 5 - 9 Jahre ❖ 10 - 14 Jahre ❖ 15 - 19 Jahre
Geschlecht.	Entsprechend dem biologischen Geschlecht.	❖ Männlich. ❖ Weiblich.
Provenienz.	Bestimmung nach Provinzen entsprechend der politisch-administrativen Gliederung und dem Gebiet, aus dem der Patient stammt.	❖ Santi Spiritus ❖ Villa Clara ❖ Ciego de Ávila ❖ Cienfuegos ❖ Granma ❖ Matanzas
Hautfarbe	Je nach Hautfarbe	❖ Weiß ❖ Nicht-weiß
Ernährungszustand.	Der Ernährungszustand des Kindes nach den nationalen Tabellen ist zu berücksichtigen.	❖ Unterernährt. ❖ Delgado. ❖ Normales Gewicht. ❖ Übergewicht. ❖ fettleibig.
Hämoglobin	Anfangswert ausgedrückt in g/L	< 11 g/dl (Anämie) 11 bis 15 g/dl (normal)
Leukozyten	Debutwert ausgedrückt x 10 /L^9	< 5*10^9 /L (Leukopenie) 5 bis 11 *10^9 /L (normal) > 11*10^9 /L (Leukozytose)

Blutplättchen	Debutwert ausgedrückt x $10 / L.^9$	$< 150*10^9 * L$ (Thrombozytopenie) 150 bis $450 *10^9 * L$ (normal)
Komplikationen	Ereignisse in der Phase der Remissionsinduktion, die sich auf die Entwicklung und Prognose des Patienten auswirken.	Sepsis. Febrile Neutropenie. Blutungen vor der Chemotherapie. Lysistumorales Syndrom. Chemotherapie-Blutung. Kardiotoxizität. Hyperleukose.
Todesursachen in der Einleitungsphase .	Ereignisse, die zum Tod des Patienten während der Remissionsinduktionsphase geführt haben (direkte Todesursachen).	Schwere Sepsis Intraparenchymale Blutung a +CID Intraparenchymale Blutung nach +SDMO Intraparenchymale Blutung.
Aktueller Stand	Überlebensstatus des Patienten zu dem Zeitpunkt, zu dem ist der Höhepunkt der Untersuchung.	Vivo Verstorben bei der Einweisung Verstorben aus anderer Ursache

Techniken und Verfahren:

Als Quelle diente die Krankengeschichte jedes Patienten, aus der alle in der Studie berücksichtigten Variablen entnommen wurden.

Informationsverarbeitung:

Die aus den Krankenakten gesammelten Daten wurden in eine Datendatei in SPSS, Version 15.0, eingegeben, und mit Hilfe dieses Statistikpakets wurden Daten und Diagramme erstellt, um die Beziehungen zwischen den Variablen zu ermitteln.

Es wurden Häufigkeitsverteilungstabellen mit absoluten (Anzahl der Fälle) und relativen (pro hundert) Werten erstellt.

Aus inferentieller Sicht wurde der Chi-Quadrat-Test angewandt, um festzustellen, ob eine statistische Unabhängigkeit (bei p>0,05) zwischen den Variablen besteht oder nicht, wenn es sich um eine Kontingenztabelle mit Erwartungswerten von weniger als 5 handelt.

Ethische Erwägungen:

Die Studie wurde in Übereinstimmung mit der Erklärung der Weltversammlung von Helsinki durchgeführt, nachdem sie vom wissenschaftlichen Ausschuss der Einrichtung und der Ethikkommission für Forschung geprüft und genehmigt worden war. Es wurden nur Informationen aus klinischen Aufzeichnungen gesammelt, ohne dass Eingriffe an den Patienten vorgenommen wurden. Die Vertraulichkeit der Informationen wurde dadurch gewahrt, dass die Identität der an der Studie teilnehmenden Personen nicht veröffentlicht wurde.

ERGEBNISSE:

Die Verteilung der Kinder mit akuter myeloischer Leukämie nach Alter und Geschlecht ist in **Tabelle 1 dargestellt.**

Vom männlichen Geschlecht wurden 12 Patienten identifiziert, die 50 % ausmachten, und vom weiblichen Geschlecht 12 Patienten, die die restlichen 50 % ausmachten.

Je nach Alter war die Verteilung in den Gruppen von 1 bis 4 Jahren, 5 bis 9 Jahren und 10 bis 14 Jahren ähnlich, wobei 6 Kinder in jeder dieser Gruppen jeweils 25 % ausmachten. Unter 1 Jahr und zwischen 15 und 19 Jahren wurden in jeder Gruppe 3 Fälle gefunden, was jeweils 12,50 % entspricht.

Die Signifikanz (p = 0,406) der Chi-Quadrat-Statistik bestätigt, dass die Altersgruppenverteilung bei Männern und Frauen ähnlich war und keine signifikanten Unterschiede zwischen ihnen bestanden.

Der Wohnort der Patienten (Tabelle 2) zeigt, dass 10 Fälle (41,67 %) aus der Provinz Sancti Spiritus kamen. An zweiter Stelle standen 6 Patienten aus Villa Clara, die 25 % der Gesamtzahl ausmachten. Aus den anderen Provinzen kamen Ciego de Avila und Cienfuegos mit jeweils 3 Patienten (12,50 %), Granma und Matanzas mit jeweils 1 Patienten (4,17 %).

Die Hautfarbe (Tabelle 3) war bei 21 Patienten, die 87,5 % der Stichprobe ausmachten, weiß. Nur 3 Patienten waren nicht weiß, was einer 12.5 %.

Der Ernährungszustand der pädiatrischen Patienten mit akuter myeloischer Leukämie (Tabelle 4 und Grafik 1) zeigt, dass 18 Kinder (75 %) normalgewichtig waren. An zweiter Stelle folgten die übergewichtigen Kinder, von denen eines übergewichtig (4,17 %) und drei fettleibig (12,50 %) waren. Nur zwei Patienten (8,33 %) wurden aufgrund ihres

39

Ernährungsstatus als dünn eingestuft.

Die Ergebnisse der ergänzenden Tests zum Zeitpunkt der Diagnose sind in Tabelle 5 dargestellt. Bei 23 Patienten lag zum Zeitpunkt der Diagnose eine Anämie vor, was 95,83 % der untersuchten Patienten entspricht.

Bei der Diagnose hatten 18 Kinder (75 %) eine Leukozytose und 4 Patienten (16,70 %) eine Leukopenie. Nur 2 Fälle (8,30 %) hatten normale Leukozytenwerte.

Eine Thrombozytopenie wurde bei 17 Patienten festgestellt, was 70,80 % der insgesamt untersuchten Patienten entspricht.

Tabelle 6 und Schaubild 2 zeigen die Komplikationen, die bei pädiatrischen Patienten mit akuter myeloischer Leukämie aufgetreten sind, und die Tabelle stellt den Zusammenhang zwischen diesen Komplikationen und dem Geschlecht der Kinder her.

Die Sepsis war die Hauptkomplikation, die bei 22 Patienten auftrat und 91,67 % ausmachte, mit einer ähnlichen Verteilung bei Männern und Frauen, p = 0,460.

Die zweite Komplikation war die febrile Neutropenie, die bei 87,50 % der 21 Kinder mit AML auftrat. Ihre Ausprägung war nicht geschlechtsabhängig, sondern wurde bei allen 21 Kindern mit AML festgestellt.
= 1.000.

Eine Blutung vor der Chemotherapie war eine Komplikation, die bei 15 Patienten (62,50 %) auftrat, ebenfalls mit ähnlicher Ausprägung bei beiden Geschlechtern, p = 0,202.

Das Tumorlyse-Syndrom trat in 10 Fällen auf (41,67 5). Es trat bei 25 % der männlichen Fälle und 58,33 % der weiblichen Fälle auf, wobei es keine signifikanten Unterschiede gab (p = 0,214).

Chemotherapiebedingte Blutungen traten bei 6 Patienten (25 %) auf, von denen 5 männlich und 1 weiblich waren, obwohl sie sich nicht signifikant unterschieden (p = 0,157).

Kardiotoxizität trat bei 8 Patienten (33,33 %) auf, und zwar gleich häufig bei Männern und Frauen (p = 1,000).

Eine Hyperleukozytose wurde nur bei 2 Patienten (8,33 %) festgestellt, die beide männlich waren.

Tabelle 7 zeigt den Zusammenhang zwischen Komplikationen und dem Alter der Patienten. Sie zeigt, dass das Auftreten von Komplikationen in den untersuchten Altersgruppen keine signifikanten Unterschiede aufweist und die statistische Signifikanz in allen Fällen größer als 0,05 ist.

Tabelle 8 stellt einen Zusammenhang zwischen den Komplikationen bei Patienten mit akuter myeloischer Leukämie in der Remissionsinduktionsphase und dem Ernährungsstatus her und zeigt, dass das Auftreten dieser Komplikationen nicht vom Ernährungsstatus abhängt, mit Ausnahme von Kardiotoxizität und Hyperleukose. Bei der Kardiotoxizität wurde ein signifikanter Zusammenhang festgestellt (p = 0,019). Das Auftreten dieser Komplikation wurde bei allen übergewichtigen und fettleibigen Patienten beobachtet. Die beiden Patienten mit Hyperleukose waren übergewichtig, p = 0,002.

Tabelle 9 zeigt die Todesursachen nach Geschlecht bei pädiatrischen Patienten mit akuter myeloischer Leukämie in der Remissionsinduktionsphase. Insgesamt traten 7 Todesfälle auf, was einer Sterblichkeitsrate von 29,17 % der Patienten entspricht. Davon waren 6 weiblich mit einer Sterblichkeitsrate von 50 % bei diesem Geschlecht und nur 1 männlich mit einer Sterblichkeitsrate von 8,33 % bei den Männern, wobei die Sterblichkeit signifikant vom Geschlecht abhing und bei den Frauen höher war, p = 0,0247.

Nach den Ursachen aufgeschlüsselt, gab es 3 Todesfälle durch schwere Sepsis (12,50 %), 1 durch intraparenchymale Blutung +CID (4,17 %), 1 durch intraparenchymale Blutung +SDMO (4,17 %) und 2 durch intraparenchymale Blutung (8,33 %), davon eine Frau und ein Mann.

Der aktuelle Status der pädiatrischen Patienten mit akuter myeloischer Leukämie (Tabelle 10) zeigt, dass 11 Fälle am Leben sind (45,83 % der Stichprobe), 29,17 % (7 Fälle) starben aufgrund der Induktion und 6 Patienten (25 %) starben aufgrund anderer Ursachen.

DISKUSSION DER ERGEBNISSE:

Krebs bei Kindern und Jugendlichen ist weltweit sehr selten. Man schätzt, dass die Häufigkeit zwischen 1,5 und 2 % aller jährlich entdeckten bösartigen Neubildungen liegt. In Kuba werden jährlich durchschnittlich 300 neue Fälle bei Kindern diagnostiziert, wobei diese Zahl jährlich schwankt.[9,10,28]

In der vorliegenden Studie stellten wir fest, dass die Geschlechterverteilung mit 50 Prozent beider Geschlechter gleich war und dass die Altersverteilung die gleiche Häufigkeit von einem bis 14 Jahren aufwies, mit weniger Patienten unter einem Jahr und über 15 Jahren.

Bei der Durchsicht der Bibliographie einer deskriptiven kubanischen Studie über die klinischen und epidemiologischen Merkmale der Leukämie bei Kindern, die im hämatologischen Dienst des Hospital Infantil Sur Docente de Santiago de Cuba durchgeführt wurde, stellte[10] fest, dass die Krankheit überwiegend in der Altersgruppe der über 8-Jährigen und bei Jungen auftritt.

Ducasse K, et al,[46] bei Patienten mit akuter myeloischer Leukämie wurde ein Durchschnittsalter von 9 Jahren festgestellt, wobei Männer mit 63 % überwiegen.

Menéndez Veitía A und Mitarbeiter,[62] , stellten in einer Studie über die Behandlung der akuten myeloischen Leukämie bei Kindern in Kuba fest, dass von den insgesamt 46 eingeschlossenen Patienten das männliche Geschlecht überwiegt (n = 32) und das Durchschnittsalter 9 Jahre beträgt.

Peña JA et al. ([8]) stellten fest, dass pädiatrische Leukämien im Alter von 7 bis 15 Jahren auftraten, wobei 53,8 % der Kinder und Jugendlichen betroffen waren, mit Altersgipfeln bei 5 und 9 Jahren (15,4 % bzw. 9,6 %) und einem Median von 7,8 ± 4,0 Jahren. Die Inzidenz der AML war bei

Frauen höher (60 %) mit einem Verhältnis von Frauen zu Männern von 1,5:1. Dieser Autor fand eine ähnliche Verteilung der Fälle von 1 bis 14 Jahren ohne signifikante Unterschiede.

In der untersuchten Kasuistik waren die Patienten im Wesentlichen in den Provinzen Sancti Spiritus und Villa Clara ansässig. Es wäre zweckmäßig, in künftigen Untersuchungen eine räumlich-zeitliche Verteilung der akuten myeloischen Leukämie in der Altersgruppe der Kinder vorzunehmen, um die Herkunftsgemeinden dieser Fälle zu bestimmen und so mögliche räumliche Zusammenhänge der Fälle zu ermitteln. In diesem Zusammenhang vergleicht eine Studie in der Literatur die Risikoperiode für Leukämie im Kindesalter von Fällen, die in den Vereinigten Staaten in verschiedenen Gebieten im Norden (über dem 40. Breitengrad) diagnostiziert wurden, wie z. B. Seattle, Nebraska, Lowa, Detroit und Connecticut, mit Fällen, die im Süden der Vereinigten Staaten (unter dem 40. Breitengrad) diagnostiziert wurden, wie z. B. San Francisco, Utah, New Mexico und Atlanta, und stellte komplexere trimodale Muster fest, mit saisonalen Spitzen im April, August und Dezember für den Norden und saisonalen Spitzen im Februar, Juli und Oktober für südliche Orte. Die Autoren vermuten, dass diese Spitzen mit dem jahreszeitlich bedingten Auftreten von Allergien und infektiösen Prozessen zusammenfallen könnten, also mit Elementen, die die lymphozytäre Proliferation fördern können.[69]

Bei den untersuchten Patienten war die weiße Hautfarbe in 21 Fällen vorherrschend, was 87,5 % der Stichprobe ausmachte. Wir gehen nicht davon aus, dass dies mit dem Vorhandensein der Krankheit zusammenhängt, sondern eher mit der Verteilung der ethnischen Merkmale der kubanischen Bevölkerung und den zentralen Regionen des Landes, in denen die meisten Fälle auftraten.

Die befragten Autoren[15-17] verweisen auf die Tatsache, dass die Leukämiehäufigkeit in der pädiatrischen Altersgruppe keine Unterschiede nach Geschlecht oder Rasse aufweist. Es gibt keine Hinweise auf Studien, die diese Merkmale zeigen.

In der vorliegenden Studie war der Ernährungszustand der Kinder mit akuter myeloischer Leukämie angemessen, keines war unterernährt, und es überwogen normalgewichtige Kinder, was für die Qualität der pädiatrischen Versorgung in Kuba spricht, die durch das Mutter-Kind-Programm geregelt wird. Die konsultierten kubanischen Studien zeigen ähnliche Ergebnisse mit einer höheren Häufigkeit von normalgewichtigen Kindern zum Zeitpunkt der Diagnose der Krankheit.[9,10,28,46]

Die untersuchten Patienten wiesen zum Zeitpunkt der Diagnose eine Anämie, Leukozytose und Thrombozytopenie auf, Ergebnisse, die zusammen mit klinischen und anderen diagnostischen Tests das Vorliegen der Krankheit bestätigen.

González Gilart G,[10] stellte in einer kubanischen Studie fest, dass die klinischen Erscheinungsformen anämisches Syndrom, eitrige hämorrhagische Manifestationen und Fieber umfassen.

Andere Autoren wie Naoe T,[70] Hernández Cruz C und Mitarbeiter,[56] und Fernández HF,[57] zeigen ähnliche Ergebnisse der für die Diagnose der Krankheit verwendeten ergänzenden Tests.

Was die Komplikationen betrifft, so wurden in der vorliegenden Studie bei fast allen Kindern Sepsis, febrile Neutropenie und Blutungen vor der Chemotherapie beobachtet, wobei die Verteilung je nach Geschlecht ähnlich war. Das Tumorlyse-Syndrom trat häufiger bei weiblichen Kindern auf, während Chemotherapie-Blutungen und Hyperleukozytose häufiger bei männlichen Kindern auftraten, wobei jedoch keine statistisch signifikanten Unterschiede festgestellt wurden. Kardiotoxizität trat mit geringer Häufigkeit und ähnlicher Geschlechtsverteilung auf.

Wir stimmen mit dem überein, was in der konsultierten Literatur über Komplikationen in der Induktionsphase gesagt wurde. Es wird berichtet, dass bakterielle und Pilzinfektionen aufgrund der tiefgreifenden und lang anhaltenden Neutropenie als Folge der Chemotherapie die Hauptursache für Morbidität und Mortalität bei Patienten mit AML sind, was sich in längeren Krankenhausaufenthalten, einem verstärkten Einsatz von Breitspektrum-Antimikrobika, dem Auftreten von Antibiotikaresistenzen und einer Zunahme der damit verbundenen Superinfektionen niederschlägt.[71-73]

Ducasse K et al.[46] charakterisiert die Episoden febriler Neutropenie bei Patienten mit AML, bei denen er eine größere Anzahl von Fiebertagen, eine höhere Häufigkeit von arterieller Hypotonie und Sepsis sowie längere Krankenhausaufenthalte auf den Akutstationen beobachtet. Die Häufigkeit der von diesem Autor festgestellten Sepsis betrug 27,7 % in der AML-Gruppe, und er fand bei 70 % dieser Patienten infektiöse Herde, am häufigsten Bakteriämie (23 %), Atemwegs- (27 %) und Verdauungserkrankungen (25 %), die hauptsächlich bakterieller Genese waren. Der Autor kommt zu dem Schluss, dass Episoden von febriler Neutropenie bei Kindern mit AML einen aggressiveren diagnostischen und therapeutischen Ansatz erfordern, der sich an ihrem Schweregrad orientiert.

González Gilart G et al. ([10]) stellten fest, dass Fieber bei allen Kindern mit AML das vorherrschende Symptom war, und bei 76,6 % von ihnen wurden purpurhämorrhagische Manifestationen festgestellt. Die häufigste Komplikation war eine Infektion (95,7 %), gefolgt von Blutungen (90 %).

Cavagnaro S F,[74] zum Tumorlyse-Syndrom in der Kinderheilkunde, erklärt, dass es sich dabei um einen metabolischen Notfall handelt, der sich aus der schnellen und massiven Zerstörung von Tumorzellen spontan oder als Folge einer zytolytischen Krebstherapie ergibt. Diese Situation führt zu einem enormen Ungleichgewicht des inneren Milieus, da große Mengen an intrazellulärem Inhalt in den interstitiellen und intravaskulären Raum freigesetzt werden, was schwerwiegende und sogar tödliche klinische Folgen hat. Die richtige Erkennung der Risikofaktoren, die dieses Syndrom auslösen können, sowie deren spezifische Prävention und Behandlung haben die Komplikationen erheblich verringert und die Überlebensrate dieser Patienten verbessert.

In Bezug auf diese Komplikation nennen andere Autoren ([75-77]) folgende Risikofaktoren: große oder ausgedehnte Tumore (Tumordurchmesser > 10 cm oder Leukozytose > 50 000 x mm^3), ausgedehnte Knochenmarksbeteiligung, Tumore mit einer hohen Zellproliferationsrate oder solche mit einer hohen Empfindlichkeit gegenüber Chemotherapeutika, und unter den prädisponierenden Wirtsfaktoren Erhöhte Laktatdehydrogenasewerte im Serum (mehr als das Doppelte der oberen Normgrenze), Hyperurikämie oder Hyperphosphatämie im Ausgangszustand, vorbestehende Nierenfunktionsstörungen, Volumenmangel und Oligurie. In der Literatur finden sich keine Hinweise auf einen Zusammenhang mit epidemiologischen Variablen der Patienten.

Eine häufige Komplikation der akuten myeloischen Leukämie ist die Hyperleukozytose. Ihr Auftreten wird mit einer verkürzten Überlebenszeit in Verbindung gebracht. Ihre Erkennung kann schwierig sein, da sie das Vorhandensein von Infektionen und hämorrhagischen Komplikationen im Zusammenhang mit akuter Leukämie vortäuschen kann.[78] In der vorliegenden Studie fanden wir nur zwei Patienten mit dieser

Komplikation, die eine ungünstige Entwicklung mit anderen assoziierten Komplikationen hatten und starben, wenn auch nicht bei der Induktion.

Peña JA,[8] berichtete über das Auftreten von Komplikationen in 35 Fällen (67,3 %), wobei die wichtigsten Komplikationen bei 23 Patienten (65,7 %) infektiöser Natur waren, von denen 22,8 % in der Einleitungsphase auftraten. Tang et al. ([79]) stellten 2009 in Japan fest, dass 27,2 % der infektiösen Komplikationen in dieser Phase auftraten.

Hämorrhagische Komplikationen waren in der vorliegenden Studie die dritthäufigste Komplikation, und zwar zu einem höheren Prozentsatz als bei Peña JA,[8] , der feststellte, dass hämorrhagische Komplikationen mit 11,4 % nach infektiösen Komplikationen am häufigsten auftraten. Kim et al.,[80] , stellten 2006 in Korea 18,9 % fest.

Mehrere Autoren berichten unter[8,53,81] , dass diese Art von Komplikationen bei Personen mit hämatologischem Krebs häufig vorkommt und dass Blutungen aus verschiedenen Gründen auftreten, darunter eine veränderte Funktion und Anzahl der Blutplättchen, ein Mangel an Gerinnungsfaktoren, zirkulierende Antikoagulanzien und Defekte der Gefäßintegrität. Blutungen werden als eine Ursache für den vorzeitigen Tod von Kindern mit Leukämie angesehen. Zu den potenziellen Risiken gehören Hyperleukozytose, Leukämie-Immunphänotyp, insbesondere akute promyelozytäre Leukämie, Thrombozytopenie und infektionsassoziierte Leukämie.

In der vorliegenden Studie traten bei 33,33 % der Patienten Kardiotoxizitäten auf. In der Literatur wird darauf hingewiesen, dass die Anthrazykline, die heute als die wichtigsten Antitumormedikamente gelten, genau diese Einschränkung haben, da ihr klinischer Nutzen durch das Auftreten von Kardiomyopathien eingeschränkt wird.[82,83]

Die Häufigkeit von subklinischen Myokardanomalien nach einer Anthrazyklinbehandlung beträgt bis zu 57 % und von symptomatischen Herzanomalien bis zu 16 %.[84]

Es wurde berichtet, dass die höchste Häufigkeit von Kardiotoxizität bei einer kumulativen Dosis von mehr als 450 mg/m^2 SC festgestellt wird. Es wurde jedoch festgestellt, dass Myokardschäden auch bei niedrigeren Dosen auftreten.[82]

Bei den in die Studie einbezogenen Patienten hingen die Komplikationen in der Remissionsinduktionsphase nicht vom Alter der Patienten ab, und die Verteilung dieser Gruppen war ähnlich.

Peña JA,[8] , stellte in der Studienkohorte seiner Forschung fest, dass 55,8 % des männlichen Geschlechts Komplikationen aufwiesen, wobei infektiöse Komplikationen mit 60,9 % am häufigsten auftraten. Was das Alter betrifft, so stellte dieser Autor in der Altersgruppe von 0 bis 6 Jahren bei 46,2 % Komplikationen fest, wobei die wichtigsten Komplikationen infektiöser Natur waren. 60,9 % der Altersgruppe waren betroffen. In der Altersgruppe der 7- bis 15-Jährigen fand er 64 % der Komplikationen.

In Bezug auf den Ernährungszustand der untersuchten Patientengruppe wurde ein Zusammenhang zwischen Komplikationen wie Kardiotoxizität und Hyperleukozytose in Abhängigkeit vom Ernährungszustand festgestellt, vor allem bei Übergewichtigen und Fettleibigen. Mit diesen Ergebnissen kann kein kausaler Zusammenhang hergestellt werden, da es sich um eine deskriptive Studie mit einer kleinen Stichprobengröße handelt und diese Verteilung auf Zufall beruhen könnte. In der Literatur gibt es keine Hinweise auf den Einfluss des Körpergewichts auf diese Komplikationen.

Bei den untersuchten Patienten lag die Sterblichkeit während der

Einleitung bei 29,17 %, je nach Geschlecht, wobei nur ein Todesfall männlich und fast alle weiblich waren. Die Haupttodesursache war eine schwere Sepsis. Zum Zeitpunkt des Abschlusses der Studie waren noch 45,83 % der Patienten am Leben, da ein Viertel der Patienten auch an anderen Ursachen gestorben war, die nichts mit der Remissionsinduktion zu tun hatten.

In der Literatur heißt es, dass sich die Fünf-Jahres-Überlebensrate für die verschiedenen Leukämiearten in den letzten Jahrzehnten erheblich verbessert hat. So hatte ein Kind mit Leukämie in den 60er Jahren eine 5 %ige Chance, fünf Jahre zu überleben; in den späten 70er Jahren überlebten 50 % der ALL und nur selten ein Kind mit AML. Im Zeitraum 1990-2000 haben sich die Überlebensraten für Leukämieerkrankungen beim Vergleich der Ergebnisse aus den USA, Europa und Amerika angeglichen.[9]

Aus einer in Chile durchgeführten Studie ([46]) geht hervor, dass die Fünfjahres-Überlebensrate für AML bei Kindern unter 15 Jahren bei 50 % liegt. Trotz der eingesetzten Chemotherapie (QT) kommt es bei 30 % der Kinder zu einem Rückfall der Krankheit und 10 % sprechen nicht auf QT an.

Mehrere Autoren ([54,61,62,85]) vermuten, dass die geringere Überlebensrate bei AML-Patienten auf toxische Wirkungen und die Morbidität und Mortalität im Zusammenhang mit den aggressiven QT-Therapien zurückzuführen ist, die für den Versuch, die Krankheit zu heilen, erforderlich sind.

Die Tendenz, in der Gruppe der Kinder mit AML häufiger zu sterben, könnte durch das Vorhandensein anderer Mortalitätsursachen erklärt werden, die bei dieser Patientengruppe beschrieben wurden, wie z. B. massive Blutungen (insbesondere bei M3 AML), Wasser- und

Elektrolytstörungen, Nierenfunktionsstörungen und neurologische Störungen.[15-217,68,86]

González Gilart G, et al,[10] bezüglich der Sterblichkeit wurden 66,6 % der Todesfälle bei pädiatrischen Patienten mit akuter myeloischer Leukämie in Santiago de Cuba von 2006 bis 2010 ermittelt.

Peña JA,[8] berechnet das relative Risiko (RR) für infektiöse und hämorrhagische Komplikationen und Mortalität. Das Risiko für infektiöse Komplikationen und Tod lag bei 2,06 (95% CI 0,26-16,65) und für hämorrhagische Komplikationen bei 1,93 (95% CI 0,28-13,32), wobei die Ergebnisse statistisch nicht signifikant waren (p>0,05). Die Überlebensrate nach 120 Wochen lag bei 60 % für AML.

SCHLUSSFOLGERUNGEN:

Die pädiatrischen Patienten mit akuter myeloischer Leukämie, die während des Untersuchungszeitraums im Universitäts-Pädiatriekrankenhaus "José Luís Miranda" behandelt wurden, waren nach Geschlecht ähnlich verteilt, wobei die Häufigkeit im Alter zwischen 1 und 14 Jahren höher war. Sie stammten hauptsächlich aus Sancti Spiritus und Villa Clara und hatten überwiegend eine weiße Hautfarbe sowie ein normales Gewicht und einen gesunden Ernährungszustand. Fast alle hatten Anämie, Leukozytose und Thrombozytopenie. Die wichtigsten Komplikationen waren Sepsis und febrile Neutropenie, die nicht mit dem Geschlecht oder Alter der Patienten zusammenhingen. Hyperleukozytose trat bei fettleibigen Patienten auf, und Kardiotoxizität überwiegt bei übergewichtigen und fettleibigen Patienten. Etwas mehr als die Hälfte der Patienten starb am Ende der Studie, und von diesen starb jeder zweite an den Folgen der Induktion.

BIBLIOGRAFISCHE HINWEISE:

1. Lichtman MA, Liesveld JL. Akute myeloische Leukämie. In: Williams Hematology. 8th ed [Internet]. New York: McGraw-Hill; 2010. p.1056 - 69. Available from: http://accessmedicine.mhmedical.com/content.aspx?bookid=358&secti onid=39 835911

2. Ferlay J, Shin HR, Bray F, Forman D, Mathers C, Parkin DM (2010) Schätzungen der weltweiten Belastung durch Krebs im Jahr 2008: GLOBOCAN 2008. Int J Cancer [Internet]. 2010 [cited May 2014]; 127(12): [ca. 14 S.]. Verfügbar unter: http://onlinelibrary.wiley.com/doi/10.1002/ijc.25516/pdf.

3. Bosetti C. Krebssterblichkeit im Kindesalter in Europa, 1970-2007. Eur J Cancer [Internet]. 2010 [cited May 2014]; 46(2): [ca. 10 S.]. Verfügbar unter: http://www.ncbi.nlm.nih.gov/pubmed/19818600.

4. Couto AC, Ferreira JD, Koifman RJ, Monteiro GT, Pombode-Oliveira MS, Koifman S. Trends in der Leukämie-Mortalität im Kindesalter über einen Zeitraum von 25 Jahren. J Pediatr [Internet]. 2010 [cited May 2014]; 86(5): [ca. 5 S.]. Verfügbar unter: http://www.scielo.br/pdf/jped/v86n5/en_v86n5a09.pdf.

5. Maloney K, Greffe BS, Foreman NK; Giller RH, Quinones RR, Gram. DK, et al. Akute lymphoblastische Leukämie In: Levin M, Sondheimer J, Deterding R. Current diagnosis and treatment in paediatrics. 20th ed [Internet]. New York: McGraw-Hill; 2011. p. 853- 856. [Internet]https://www.fgq77.files.wordpress.com/2013/07/current_diag nosis_a nd_Behandlung_Pädiatrie.pdf

6. Guillerman RP, Voss SD, Parker BR. Leukämie und Lymphome.

Radiol Clin N Am [Internet]. 2011 [cited May 2014]; 49(4). [Internet] www.radiologic.theclinics.com/article/S0033-8389(11)00062-5/pdf.

7. Riquelme S V, García B C. Bildgebende Untersuchungen in der Frühdiagnose von Leukämie in der Pädiatrie. Rev. Chil. Radiol [Internet]. 2012 [cited May 2014];   18(1):   [approx.   5   p.]. Verfügbar unter .   unter:

http://www.scielo.cl/pdf/rchradiol/v18n1/art06.pdf

8. Peña JA, Pantoja JA, Acosta ÁM, Argotty-Pérez E, Mafla AC. Assoziierte Komplikationen und Überlebensanalyse bei Kindern mit akuten Leukämien, die mit dem BFM-95-Protokoll behandelt wurden. Rev Univ Health [Internet]. 2014 [cited Jan 2015]; 16(1). Verfügbar unter:

http://www.scielo.org.co/scielo.php?script=sci_arttext&pid=S0124-71072014000100002.

9. Vera AM, Pardo C, Duarte MC, Suárez A. Analyse der Sterblichkeit bei akuter Leukämie bei Kindern am Nationalen Krebsinstitut. Biomedica [Internet]. 2012 [cited May 2014]; 32: [ca. 5 S.].Available from:

http://www.scielo.org.co/scielo.php?script=sci_pdf&pid=S0120-41572012000300006&lng=de&nrm=iso&tlng=de.

10. González Gilart G, Lachs Gainza SL, Querol   Betancourt N, et al. Klinische und epidemiologische Merkmale von Leukämien bei Kindern. MEDISAN [Internet]. 2011 [cited April 2015]; 15(12).

Verfügbar unter .   en:

http://scielo.sld.cu/scielo.php?script=sci_pdf&pid=S1029-30192011001200005&lng=es&nrm=iso&tlng=es

11. Creutzig U, Van den Heuvel-Eibrink MM, Gibson B, Dworzak MN,

Adachi S, De Bont E, et al. Diagnosis and management of acute myeloid leukemia in children and adolescents: recommendations from an international expert panel. Blood [Internet]. 2012 [cited April 2015]; 120 (16). Verfügbar unter: http://www.ncbi.nlm.nih.gov/pubmed/22879540.

12. Harrison CJHills RK, Hills RK, Moorman AV, Grimwade DJ, Hann I, Webb DK, et al. Cytogenetics of Childhood Acute Myeloid Leukemia: United Kingdom Medical Research Council Treatment Trials AML 10 and 12, J. Clin. Oncol [Internet]. Jun 2010 [cited April 2015]; 28. Verfügbar unter: http://www.ncbi.nlm.nih.gov/pubmed/20439644

13. Balgobind BVRaimondi SC, Harbott J, Zimmermann M, Alonzo TA, Auvrignon A, et al. Novel prognostic subgroups in childhood 11q23/MLL-rearranged acute myeloid leukemia: results of an international retrospective study. Blood [Internet]. Sep 2009 [cited April 2015]; 114(12). Verfügbar unter: http://www.ncbi.nlm.nih.gov/pubmed/19528532

14. Niewerth DCreutzig U, Bierings MB, Kaspers GJ. Ein Überblick über die allogene Stammzelltransplantation bei neu diagnostizierter akuter myeloischer Leukämie im Kindesalter. Blood [Internet]. Sep 2010 [cited 2015 Apr 2015]; 116. Verfügbar unter: http://www.ncbi.nlm.nih.gov/pubmed/20538803

15. Burnett A, Wetzler M, Löwenberg B. Therapeutische Fortschritte bei akuter myeloischer Leukämie. J Clin Oncol [Internet]. 2011 [cited March 2013]; 29(5). Verfügbar unter: http://jco.ascopubs.org/content/early/2011/01/10/JCO.2010.30.1820.full.pdf

16. Dombret H. Optimale Therapie der akuten myeloischen Leukämie im

Jahr 2012. Bildungsprogramm EHA 2012; 6:41-48

17. Estey E. Annual Clinical Updates in Hematological Malignancies: A Continuing Medical Education Series: Akute myeloische Leukämie: 2012 update on diagnosis, risk stratification and management. ASH Educational Material. ASH; 2011.

18. Alencar Á, Buessio R, Scheinberg P. Acute leukaemias, In: Brazilian Manual of Clinical Oncology; [Internet]2013. Sao Pulo, Brasilien: Regionaler Rat für Bühnenmedizin. Verfügbar unter: https://mocbrasil.com/moc-hemato/neoplasias-malignas/9-leucemias-agudas-introducao.

19. Döhner H. Die Bedeutung der molekularen Charakterisierung der akuten myeloischen Leukämie. Hematology Am Soc Hematol Educ Program. [Internet] 2007[zitiert Januar 2015]. Verfügbar unter: http://www.ncbi.nlm.nih.gov/pubmed/18024659.

20. Gilliland G, Jordan CT, Felix CA. Die molekularen Grundlagen der Leukämie. American Society of Hematology Education Program Book [Internet] 2007 [zitiert Januar 2015]. Verfügbar unter: http://www.ncbi.nlm.nih.gov/pubmed/15561678

21. Rubnitz JE. Akute myeloische Leukämie im Kindesalter. Curr Treat Options Oncol, Feb[Internet] 2008[cited January 2015]; 9(1). Verfügbar unter: http://www.cancer.gov/types/leukemia/patient/child-aml-treatment-pdq

22. Rubnitz JE et al. Akute gemischtgeschlechtliche Leukämie bei Kindern: die Erfahrungen des St. Jude Children's Research Hospital. Blood 2009; 113(21):5083-5089.

23. Rubnits JE, Gibson B, Smith FO. Akute myeloische Leukämie. Pediatr Clin N Am [Internet]. 2008 [cited February 2013]; 55(1). Verfügbar unter: http://www.elsevier.com/copyright.

24. David G. Tubergen, Archie Bleyer, Kim Ritchey. Akute myeloische Leukämie. In: Nelson, A Treatise on Paediatrics. 19. Auflage. Philadelphia: Saunders Elservier; 2011.

25. NCCN. NCCN Clinical Practice Guidelines in Oncolgy. Akute myeloische Leukämie; [Internet] 2009 [zitiert am 21. Februar 2013] Verfügbar unter: http://www.nccn.org.

26. All Study Task Force. ALL IC-BFM 2007 13. Jahrestagung der I-BFM-SG. Budapest Hungary; May 3-5, [Internet] 2007 [cited 12 Jan 2013] Verfügbar unter: http://www.infomed.sld.cu

27. Garay G, Aversa LA, Svarch E, Sackman Muriel F, Drelichman G, Santareli MT. Fortschritte bei der Behandlung der akuten lymphatischen Leukämie bei Kindern. GATLA/GLATHEM-Erfahrungen. Blut 1989; 34 (2): 136 - 43.

28. Vergara B, Svarch E. Akute lymphoblastische Leukämie im Kindesalter. Nachbeobachtung nach Abschluss der Behandlung bei 430 Patienten. Rev Esp Paediatr 2004; 60: 348 - 54.

29. Svarch E, González A, Vergara B, Campos M, Dorticós E, Espinosa E, et al und Grupo para el Estudio y Tratamiento de las Hemopatías Malignas en Cuba (GETHMAC). Behandlung von Leukämien in Kuba 1973-1995. Rev Cubana Hematol Inmunol Hemoter 1996;12: 112 - 8.

30. Camañas Troyano C. Ponatinib: eine neue Alternative für die Behandlung der resistenten chronisch-myeloischen Leukämie. Letters to the Editor. Farm Hosp. 2013;37(5):424-429.

31. Europäische Gesellschaft für medizinische Onkologie. Chronische myeloische Leukämie: ESMO Clinical Practice Guidelines for

diagnosis, treatment and follow-up. Annals of Oncology. 2012; 23 (Suppl. 7).

32. Eiring E. Advanes in der Behandlung der chronischen myeloischen Leukämie. BMC Medicine. [Internet 2011[cited January 2015];9. Verfügbar unter: http://www.biomedcentral.com/1741-7015/9/99.

33. O Hare. Ausrichtung auf den BCR-ABL-Signalweg bei therapieresistenter Philadelphia-Chromosom-positiver Leukämie. Clin Cancer Res. 2011 January 15;17(2).

34. Talpaz M, et al. Phase-I-Studie mit AP24534 bei Patienten mit refraktärer chronisch-myeloischer Leukämie (CML) und hämatologischen Malignomen. J Clin Oncol. 2010 [Internet] 2010[cited January 2015]; 28. Verfügbar unter: http://meetinglibrary.asco.org/content/53232-74

35. Hutter J. Leukämie im Kindesalter. Pediatr Rev. 2010; 31:234-241.

36. Vormoor J, Chintagumpala M. Leukämie und Krebs bei Neugeborenen. Semin Fetal Neonatal Med. 2012 Aug; 17(4):183-4.

37. Bresters D, Reus AC, Veerman AJ, van Wering ER, van der Does-van den Berg A, Kaspers GJ. Angeborene Leukämie: die niederländische Erfahrung und ein Überblick über die Literatur. Br J Haematol [Internet] 2002 [zitiert Januar 2015];117. Verfügbar unter: http://www.ncbi.nlm.nih.gov/pubmed/12028017

38. Krivtsov AV, Feng Z, Lemieux ME, Faber J, Vempati S, Sinha AU, et al. H3K79-Methylierungsprofile definieren murine und menschliche MLL-AF4-Leukämien. Cancer Cell. [Internet] 2008[cited January 2015]; 14. Verfügbar unter: http://www.ncbi.nlm.nih.gov/pubmed/18977325

39. Zweidler-McKay PA, Hilden JM: Das ABC der Leukämie bei

Kindern. Curr Probl Pediatr Adolesc Health Care. [Internet] 2008[cited January 2015];38. Verfügbar unter: http://www.ncbi.nlm.nih.gov/pubmed/18279790.

40. Van der Linden MH, Creemers S, Pieters R. Diagnosis and management of neonatal leukaemia. Seminars Fetal Neonatal Med. [Internet] 2012 [cited January 2015], 17. Verfügbar unter: http://www.ncbi.nlm.nih.gov/pubmed/22510298

41. Creutzig U. Risikoangepasste Behandlung bei pädiatrischer AML. 3. Internationaler Kongress für Leukämie, Lymphome und Myelome. 2011 Mai 11-14 Istanbul, Türkei. Proceedings & Abstract Book. p. 210-2.

42. Creutzig U, Zimmermann M, Bourquin JP, Dworzak MN, Kremens B, Lehrnbecher T, et al. Favorable outcome in infants with AML after intensive first- and second-line treatment: an AML-BFM study group report. Leukemia [Internet]. 2012 Apr [cited January 2015]; 26(4). Verfügbar unter: http://www.ncbi.nlm.nih.gov/pubmed/21968880

43. Roy A, Roberts I, Vyas P. Biology and management of transient abnormalmyelopoiesis (TAM) in children with Down syndrome. Seminars Fetal Neonatal Med. [Internet] 2012[cited January 2015]; 17. Verfügbar unter: http://www.ncbi.nlm.nih.gov/pubmed/22421527

44. Xavier AC, Taub JW. Akute Leukämie bei Kindern mit Down-Syndrom. Haematol. [Internet] 2010[cited January 2015]; 95(7). Verfügbar unter:http://www.haematologica.org/content/95/7/1043

45. Mitelman F, Johansson B und Mertens F. Mitelman Database of Chromosome Aberrations and Gene Fusions in Cancer [Internet]. Bethesda: NationalInstitutes of Health; 2013 [zitiert 2015 Jan 5]. Verfügbar unter: http://cgap.nci.nih.gov/Chromosomes/Mitelman

46. Ducasse K, Fernández JP, Salgado Carmen, et al. Charakterisierung von febrilen Neutropenie-Episoden bei Kindern mit akuter myeloischer Leukämie und akuter lymphatischer Leukämie. Rev Chilena Infectol [Internet]. 2014 [cited 2015 Jan 5]; 31 (3). Verfügbar unter:http://www.scielo.cl/pdf/rci/v31n3/art13.pdf

47. Campbell M, Salgado C, Varas M. Klinischer Leitfaden 2010 Leukämie bei Menschen unter 15 Jahren. Kolumbien: MINSAL; 2010. Verfügbar unter: http://web.minsal.cl/portal/url/item/7220fdc433e944a9e04001011f0113 b9.pdf

48. Salgado C, Becker A, Campbell M. Nationales Protokoll für die Behandlung der akuten myeloblastischen Leukämie. Kolumbien: MINSAL; 2006.

49. Gupta A, Singh M, Singh H. Infektionen bei akuter myeloischer Leukämie: eine Analyse von 382 fiebrigen Episoden. Med Oncol [Internet]. 2010 [cited January 2014]; 27. Available from: https://www.researchgate.net/publication/38012994_Infections_in_acut e_myel oid_leukämie_Eine_Analyse_von_382_fieberhaften_Episoden

50. Gómez-Almaguer D, Flores-Jiménez JA, Cantú-Rodríguez O, Homero Gutiérrez-Aguirre C. Nutzen der hämatopoetischen Zelltransplantation bei akuter myeloischer Leukämie. Rev Hematol Mex [Internet]. 2012 [cited July 2013]; 13(2). Verfügbar unter: http://www.medigraphic.com/pdfs/hematologia/re- 2012/re122f.pdf.

51. Ohtake S, Miyawaki S, Fujita H, Kiyoi H, Shinagawa K, Usui N, et al. Randomisierte Studie zur Induktionstherapie, die Idarubicin in Standarddosis mit hochdosiertem Daunorubicin bei erwachsenen Patienten mit zuvor unbehandelter akuter myeloischer Leukämie

vergleicht: die JALSG AML201 Studie. Blood [Internet]. 2011 [cited January 2014]; 117(8). Verfügbar unter . unter: http://www.ncbi.nlm.nih.gov/pubmed/20693429.

52. Mulrooney DA, Yeazel MW, Kawashima T, et al. Cardiac outcomes in a cohort of adult survivors of childhood and adolescent cancer: retrospective analysis of the Childhood Cancer Survivor Study cohort. BMJ [Internet]. 2009 [zitiert Januar 2014]; 339. Verfügbar von http://www.bmj.com/content/339/bmj.b4606.

53. Whelan KStratton K, Kawashima T, Leisenring W, Hayashi S, Waterbor J, et al. Auditory complications in childhood cancer survivors: a report from the childhood cancer survivor study. Pediatr Blood Cancer [Internet]. 2011 [cited Jan.   2014];   57   (1). Verfügbar unter .   von http://www.ncbi.nlm.nih.gov/pubmed/21328523

54. Piñeros M, Pardo C, Otero J, Suárez A, Vizcaíno M, García S, et al. Protocol for surveillance and control of paediatric acute leukaemias; 2010. [Zugriff im Januar 2014]. Verfügbar unter .   en: http://190.27.195.165:8080/index.php?idcategoria=39005#

55. Llimpe Y, Monteza R, Ticlahuanca J, Rubio P. Akute myeloische Leukämie Subtyp m2 mit t(8;21) Translokationsvariante und aml1/eto-Expression. Rev Peru Med Exp Salud Publica [Internet]. 2013 [cited January 2014]; 30(1). Verfügbar unter: http://www.scielosp.org/scielo.php?script=sci_pdf&pid=S1726-46342013000100029&lng=de&nrm=iso&tlng=de

56. Hernández Cruz C, Núñez Quintana A, Rodríguez Fraga Y. Erster Fall von akuter myeloischer Leukämie, der in Kuba mit hohen Dosen von Anthrazyklinen in der Induktion behandelt wurde. Rev Cub Med

[Internet]. 2012 [cited January 2014]; 51(2). Disponible en: http://scielo.sld.cu/scielo.php?script=sci_pdf&pid=S0034-75232012000200011&lng=es&nrm=iso&tlng=es

57. Fernandez HF, Rowe JM: Induktionstherapie bei akuter myeloischer Leukämie: Intensivierung und Ausrichtung des Ansatzes. Cur Op Hematol [Internet]. 2010 [cited January 2014]; 17(2). Verfügbar unter: http://www.ncbi.nlm.nih.gov/pubmed/20087177.

58. Pérez C, Agustí MA, Tornos P. Späte Anthrazyklin-induzierte Kardiotoxizität. Med Clin (Barc) [Internet]. 2011 [zitiert am 20. Januar 2014];

133(8). Verfügbar unter: http://www.elsevier.es/es-revista-medicina-clinica-2- articulo-cardiotoxicity-anthracycline-induced-tardia-induced-ardia-13140244.

59. Kolitz JE, George SL, Dodge RK. Dosis-Eskalationsstudien von Cytarabin, Daunorubicin und Etoposid mit und ohne Multidrug-Resistenzmodulation mit PSC-833 bei unbehandelten Erwachsenen mit akuter myeloischer Leukämie unter 60 Jahren: endgültige Induktionsergebnisse der Cancer and Leukemia Group B Study 9621. J Clin Oncol [Internet]. 2004 [cited June 2013]; 22(1). Verfügbar unter:http://www.ncbi.nlm.nih.gov/pubmed/15514371

60. Fernandez HF, Sun Z, Yao X, Litzow MR, Luger SM, PaiettaEM, et al. Anthracycline dose intensification in acute myeloid leukemia. N Engl J Med [Internet]. 2011 [cited June 2015]; 361(13). Verfügbar unter:http://www.nejm.org/doi/full/10.1056/NEJMoa0904544

61. Villela L, Bolaños-Meade J. Akute myeloische Leukämie: optimale Behandlung und neue Entwicklungen. Drugs [Internet]. 2011 [cited June 2015]; 71(12). Verfügbar unter:http://www.ncbi.nlm.nih.gov/pubmed/21861539

62. Menéndez Veitía A, González Otero A, Svarch Eva. Behandlung d e r akuten myeloischen Leukämie bei Kindern in Kuba. Rev Cubana Hematol Inmunol Hemoter. [Internet]. 2013 [zitiert Juni von . 2015]; 29(2). Verfügbar unter:http://scielo.sld.cu/scielo.php?script=sci_arttext&pid=S0864-02892013000200010&lang=pt

63. Puig H, Carroll WL, Meshinchi S, Arceci RJ. Biologie, Risikostratifizierung und Therapie pädiatrischer akuter Leukämien: ein Update. J Clin Oncol [Internet]. 2011 [cited July 2013]; 29(5). Verfügbar unter: http://www.ncbi.nlm.nih.gov/pubmed/21220611.

64. Rubinitz JE. Wie ich pädiatrische akute myeloische Leukämie behandle. Blood [Internet]. 2012 [cited July 2013]; 119(25). Verfügbar unter: http://www.ncbi.nlm.nih.gov/pubmed/22566607.

65. Gibson B. Der Stellenwert der Stammzelltransplantation in der ersten Remission bei pädiatrischer AML. 3. Internationaler Kongress über Leukämie, Lymphome und Myelome. 2011 Mai 11-14 Istanbul, Türkei. Proceedings & Abstract Book. p 200-3.

66. Gupta V, Tallman MS, Weisdorf DJ. Allogene hämatopoetische Zelltransplantation bei Erwachsenen mit akuter myeloischer Leukämie: Mythen, Kontroversen und Unbekannte. Blood [Internet]. 2011 [cited July 2013]; 117(8). Verfügbar unter: http://www.ncbi.nlm.nih.gov/pubmed/21098397

67. Vellenga E, van Putten W, Ossenkoppele GJ, Verdonck LF, Theobald M, Cornelissen JJ, et al. Autologe periphere Blutstammzelltransplantation bei akuter myeloischer Leukämie. Blood [Internet]. 2011 [cited July 2013]; 118(23). Verfügbar unter: http://www.ncbi.nlm.nih.gov/pubmed/21951683.

68. De Witte T, Hagemeijer A, Suciu S, Belhabri A, Delforge M, Kobbe

G, et al. Value of allogene versus autologer Stammzelltransplantation und Chemotherapie bei Patienten mit myelodysplastischen Syndromen und sekundärer akuter myeloischer Leukämie. Endgültige Ergebnisse einer prospektiven randomisierten europäischen Intergroup-Studie. Haematologica [Internet]. 2010 [cited July 2013]; 95(10). Verfügbar unter: http://www.ncbi.nlm.nih.gov/pubmed/20494931

69. Vardiman JW, Thiele J, Arber DA, Brunning RD, Borowitz MJ, Porwit A, et al. The 2008 revision of the World Health Organization (WHO) classification of myeloid neoplasms and acute leukemia: rationale Gründe und wichtige Änderungen. Blood [Internet]. 2009 [cited July 2013]; 114(5). Verfügbar unter: http://www.ncbi.nlm.nih.gov/pubmed/19357394

70. Naoe T, Niederwieser D, Ossenkoppele GJ, Sanz MA, Sierra J, Burnett MS, et al. Diagnosis and management of acute myeloid leukemia in adults: recommendations from an international expert panel, on behalf of the European Leukemia Net. Blood [Internet]. 2010 [cited 2013 July]; 115(3). Verfügbar unter: http://www.bloodjournal.org/content/bloodjournal/115/3/453.full.pdf? sso- checked=true

71. Paganini H, Santolaya M E. Diagnose und Behandlung der febrilen Neutropenie bei Kindern mit Krebs. Konsens der Lateinamerikanischen Gesellschaft für Pädiatrische Infektionskrankheiten. Rev Chil Infectol [Internet]. 2011[cited July 2013]; 28(11). Verfügbar unter . At: http://www.scielo.cl/scielo.php?pid=S0716- 10182011000400003&script=sci_arttext

72. Villarroel M, Aviles C, Silva P, Guzmán A M, Poggi H, Alvarez A M, et al. Risk factor associated with invasive fungal disease in children

with cancer and febrile neutropenia. Eine prospektive multizentrische Untersuchung. Pediatr Infect Dis J [Internet]. 2010 [cited July 2013]; 29(9). Verfügbar unter: http://www.ncbi.nlm.nih.gov/pubmed/20616763

73. Dvorak C, Fisher B, Sung L. Antimykotische Prophylaxe in der pädiatrischen Hämatologie/Onkologie: neue Möglichkeiten und neue Daten. Pediatr Blood Cancer [Internet]. 2012 [cited July 2013]; 59(1). Verfügbar unter: http://www.ncbi.nlm.nih.gov/pubmed/22102607

74. Cavagnaro SF. Tumor-Lyse-Syndrom in der Pädiatrie. Rev Chil Pediatr [Internet]. 2011 [cited July 2013]; 82 (4): [ca. 6p.]. Verfügbar unter: http://www.scielo.cl/scielo.php?pid=S0370-41062011000400009&script=sci_arttext

75. Abu-Alfa A, Younes A. Tumorlyse-Syndrom und akute Nierenverletzung: Bewertung, Erhaltung und Management. Am J Kidney Dis [Internet]. 2011[cited July 2013]; 55 (S3). Verfügbar unter: http://www.ncbi.nlm.nih.gov/pubmed/20420966.

76. D'Orazio J: Das Tumorlyse-Syndrom: ein onkologischer und metabolischer Notfall. In: Kiessling S. Goebel J und Somers M, ed. Pediatric Nephrology in the ICU. Berlin-Heidelberg: Springer-Verlag; 2009.S. 201-18.

77. Zonfrillo M. Behandlung des pädiatrischen Tumorlysesyndroms in der Notaufnahme. Emerg Med Clin N Am [Internet]. 2011 [zitiert im Juli 2013];

27(3). Verfügbar unter: https://www.clinicalkey.es/#!/content/playContent/1- s2.0-S0733862709000376?returnurl=http:%2F%2Flinkinghub.elsevier.com%2Fretri eve%2Fpii%2FS0733862709000376%3Fshowall%3Dtrue&referrer=http:%2F

%2Fwww.ncbi.nlm.nih.gov%2Fpubmed%2F19646650

78. Moreno LP, Londoño D. Hyperleukozytose in Verbindung mit pulmonaler und zerebraler Leukostase bei akuter myeloischer Leukämie. Acta Med Coloma [Internet]. 2011 [zitiert. Juli 2013]; 36: [ca. 2 S.]. Verfügbar unter . en: http://www.scielo.org.co/scielo.php?script=sci_pdf&pid=S0120-24482011000200007&lng=en&nrm=iso&tlng=es

79. Tang JY, Gu LJ. Bericht über die Induktionswirksamkeit des Protokolls ALL-2005 und die mittelfristige Nachbeobachtung von 158 Fällen von akuter lymphatischer Leukämie im Kindesalter. ZhonghuaXue Ye XueZaZhi [Internet]. 2009; 30 (5). Verfügbar unter: http://www.ncbi.nlm.nih.gov/pubmed/19799121

80. Kim H, Lee JH, Choi SJ, Lee JH, Seol M, Lee YS, et al. Risk score model for fatal intracranial hemorrhage in acute leukemia. Leukemia [Internet]. 2006; 20(5). Verfügbar unter: http://www.ncbi.nlm.nih.gov/pubmed/16525500

81. Ponce-Torres E, Ruíz-Rodríguez M del S, Alejo-González F, Hernández-Sierra JF, Pozos-Guillén Ade J. Orale Manifestationen bei pädiatrischen Patienten, die eine Chemotherapie gegen akute lymphoblastische Leukämie erhalten. J Clin Pediatr Dent [Internet]. 2010; 34(3). Verfügbar unter: http://www.ncbi.nlm.nih.gov/pubmed/20578668

82. Colombo A, Cipolla C, Beggiato M, Cardinale D. Kardiale Toxizität von Antikrebsmitteln. Curr Cardiol Rep [Internet]. 2013 [cited February 2014]; 15 (5). Verfügbar unter: http://www.ncbi.nlm.nih.gov/pubmed/23512625.

83. Kucharska W, Negrusz-Kawecka M, Gromkowska M. Kardiotoxizität

der onkologischen Behandlung bei Kindern. Adv Clin Exp Med [Internet]. 2012 [cited February 2014]; 21(3). Verfügbar unter: http://www.ncbi.nlm.nih.gov/pubmed/23214190.

84. Eschenhagen T, Force T, Ewer MS, de Keulenaer GW, Suter TM, Anker SD, et al. Cardiovascular side effects of cancer therapies: a position statement from the Heart Failure Association of the European Society of Cardiology. Eur J Heart Fail [Internet]. 2011 [cited February 2014]; 13(1). Verfügbar unter: http://www.ncbi.nlm.nih.gov/pubmed/21169385

85. Curado MP, Pontes T, Guerra-Yi ME, Cancela MC. Leukämie-Mortalitätstrends bei Kindern, Jugendlichen und jungen Erwachsenen in Lateinamerika. Rev Panam Salud Pública [Internet]. 2011 [cited February 2014];29(2): Verfügbar unter: http://www.ncbi.nlm.nih.gov/pubmed/21437366

86. Inaba H, Fan Y, Pounds S. Klinische und biologische Merkmale und Behandlungsergebnisse von Kindern mit neu diagnostizierter akuter myeloischer Leukämie und Hyperleukozytose. Cancer [Internet]. 2008 [cited February 2014]; 113 (3). Verfügbar unter: http://www.ncbi.nlm.nih.gov/pubmed/18484648

TABELLEN UND DIAGRAMME

Tabelle 1: Pädiatrische Patienten mit akuter myeloischer Leukämie nach Alter und Geschlecht.

Alter (Jahre)	Männlich		Weiblich		Insgesamt	
	Nein	%	Nein	%	Nein	%
< 1	1	4.17		8.33		12.50
1 a 4		12.50		12.50		25.00
5 a 9	5	20.83	1	4.17		25.00
10 a 14		8.33		16.67		25.00
15 a 19	1	4.17		8.33		12.50
Insgesamt		50.00		50.00		100

Quelle: Krankenakten $X^2 = 4,000p$ $= 0,406$

Tabelle 2: Pädiatrische Patienten mit akuter myeloischer Leukämie, aufgeschlüsselt nach Wohnorten.

Aufenthalt	Nein	%
SanctiSpiritus	10	41.67
Villa Clara		25.00
Ciego de Ávila		12.50
Cienfuegos		12.50
Granma	1	4.17
Matanzas	1	4.17
Insgesamt		100

Quelle: Medizinische Aufzeichnungen

Tabelle 3: Pädiatrische Patienten mit akuter myeloischer Leukämie je nach Hautfarbe.

Hautfarbe	Nein	%
Weiß	21	87.5
Nicht-weiß		12.5
Insgesamt		100

Quelle: Medizinische Aufzeichnungen

Tabelle 4: Pädiatrische Patienten mit akuter myeloischer Leukämie je nach Ernährungszustand.

Staat Ernährung	Nein	%
Delgado		8.33
Normopeso		75.00
Übergewicht	1	4.17
Fettleibig		12.50
Insgesamt		100

Quelle: Medizinische Aufzeichnungen

Schaubild 1: Pädiatrische Patienten mit akuter myeloischer Leukämie je nach Ernährungszustand.

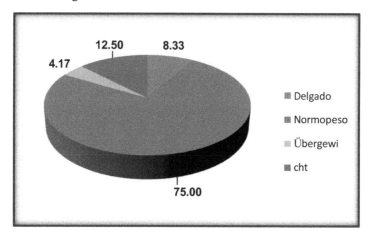

Quelle: Tabelle 4

Tabelle 5: Pädiatrische Patienten mit akuter myeloischer Leukämie nach den Ergebnissen bei der Diagnose.

	Labor	Nein	%
Hämoglobin	< 11 g/dl	23	95.83
	11 bis 15 g/dl	1	4.17
Leukozyten	< 5*10 /L^9		16.70
	5 bis 11 *10 /L^9		8.30
	> 11*10 /L^9		75.00
Blutplättchen	< 150*10 /L^9		70.80
	von 150 bis 450 *10 /L^9		29.20

Quelle: Medizinische Aufzeichnungen

Tabelle 6: Komplikationen bei pädiatrischen Patienten mit akuter myeloischer Leukämie je nach Geschlecht.

Komplikationen	Sex						X^2	
	Männlich (n = 12)		Weiblich (n = 12)		Insgesamt (n = 24)			
	Nein	%	Nein	%	Nein	%		
Sepsis	11	91.67		91.67		91.67	0.545	0.460
Febrile Neutropenie	11	91.67	10	83.33	21	87.50	0.000	1.000
Hämorrhagie vor	9	75.00		50.00		62.50	1.623	0.202
Syndrom	3	25.00		58.33	10	41.67	1.542	0.214
Blutungen während	5	41.67	1	8.33		25.00	2.000	0.157
Kardiotoxizität	4	33.33		33.33	8	33.33	0.000	1.000
Hyperleukozytose	2	16.67	0	0.00		8.33	---	---

Quelle: Medizinische Aufzeichnungen

Komplikationen bei pädiatrischen Patienten mit akuter myeloischer Leukämie je nach Geschlecht.

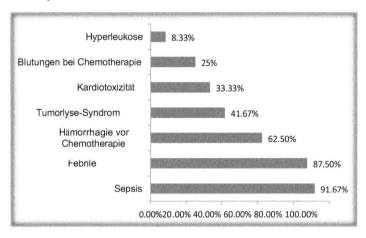

Quelle: Tabelle 6

Tabelle 7: Komplikationen bei pädiatrischen Patienten mit akuter myeloischer Leukämie je nach Alter.

Komplikationen	Alter										X2	p
	< 1 Jahr (n = 3)		1 a 4 (n = 6)		5 a 9 (n = 6)		10 a 14 (n = 6)		15 a 19 (n = 3)			
	Nein	%	Nein	%	Nein	%	Nein	%	Nein	%		
Sepsis		100		100	5	83.33		100		66.67	4.364	0.359
Febrile Neutropenie		66.67	5	83.33		100		100		66.67	4.191	0.381
Blutungen vor der Chemotherapie		66.67		50		66.67	5	83.33	1	33.33	2.667	0.615
Syndrom lisistumoral		66.67		50	1	16.67		50.00	1	33.33	2.921	0.571
Blutung während Chemotherapie	0	0.00		50		33.33	0	0.00	1	33.33	5.333	0.255
Kardiotoxizität	1	33.33		66.67	1	16.67		33.33	0	0.00	5.250	0.263
Hyperleukose	0	0		33.33	0	0	0	0	0	0	----	----

Quelle: Medizinische Aufzeichnungen

Tabelle 8: Komplikationen bei pädiatrischen Patienten mit akuter myeloischer Leukämie je nach Ernährungszustand

Komplikationen	Ernährungszustand								x^2	p
	Delgado (n = 2)		Normopeso (n = 18)		Übergewicht (n = 1)		Fettleibig (n = 3)			
	Nein	%	Nein	%	Nein	%	Nein	%		
Sepsis	1	50		94.44	1	100		100	5.091	0.165
Febrile Neutropenie	1	50		88.89	1	100		100	3.175	0.366
Blutungen vor Chemotherapie	1	50	10	55.56	1	100		100	2.904	0.407
Syndrom lisistumoral	0	0.00	8	44.44	0	0.00		66.67	2.971	0.396
Kardiotoxizität	0	0.00		22.22	1	100		100	10.000	0.019
Blutungen während Chemotherapie	0	0.00		22.22	0	0.00		66.67	3.852	0.278
Hyperleukose	0	0.00	0	0.00	0	0.00		66.67	15.273	0.002

Quelle: Medizinische Aufzeichnungen.

Tabelle 9. Todesursachen in der Remissionsinduktionsphase nach
Geschlecht bei pädiatrischen Patienten mit akuter myeloischer Leukämie.

Todesursachen bei der Einweisung	Männlich (n = 12)		Weiblich (n = 12)		Insgesamt (n = 24)	
	Nein	%	Nein	%	Nein	%
Schwere Sepsis	0	0.00		25.00		12.50
Intraparenchymale Hämorrhagie +CID	0	0.00	1	8.33	1	4.17
Intraparenchymale Hämorrhagie +SDMO	0	0.00	1	8.33	1	4.17
Intraparenchymale Hämorrhagie	1	8.33	1	8.33		8.33
Insgesamt	1	8.33		50.00		29.17

Quelle: Krankenakten $X^2 = 5,0420$ p = 0,0247

Tabelle 10: Aktueller Stand der pädiatrischen Patienten mit akuter myeloischer Leukämie

Aktueller Stand	Nein	%
Vivo		45.83
Gestorben bei der Einweisung		29.17
Starb an einer anderen Ursache		25.00
Insgesamt		100

Quelle: Medizinische Aufzeichnungen.

Milton Keynes UK
Ingram Content Group UK Ltd.
UKHW011142010424
440421UK00001B/209